D0286225

Du feu et de la glace

— Nous ne t'avons jamais parlé de Nelly, dit Lara à Céleste tandis qu'elles approchent de la maison. Elle faisait partie de notre groupe lorsque nous étions petites. Elle a déménagé quand nous avions dix ans.

— Nelly n'a pas eu la vie facile, ajoute Diane doucement.

— Pourquoi? demande Céleste.

— Elle a été victime d'un accident à l'âge de neuf ans, répond Lara. Elle a eu le visage et les mains brûlés. Elle a dû subir des interventions de chirurgie plastique, ce qui est très douloureux. Ça a l'air d'aller maintenant, mais nous n'arrivons pas à oublier car, vois-tu, ce qui lui est arrivé, c'est un peu à cause de nous toutes.

— Y a-t-il eu d'autres blessés? interroge Céleste en se baissant pour faire une boule de neige.

— Non, réplique vite Diane.

— Non, personne d'autre, répète Lara tout bas. Ce n'est pas vraiment un mensonge. On ne peut pas dire que Nicole ait été blessée. Elle est morte.

Cette nuit-là

Christopher Pike

Traduit de l'anglais par
BRIGITTE AMAT

Données de catalogage avant publication (Canada)

Pike, Christopher

Cette nuit-là

(Frissons)
Traduction de: Slumber Party.

ISBN 2-7625-3209-4

I. Titre. II. Collection.

PZ23.P54Ce 1990 j813'.54 C90-096632-7

Dépôts légaux : 4e trimestre 1990
Bibliothèque nationale du Québec
Bibliothèque nationale du Canada

ISBN : 2-7625-3209-4 Imprimé au Canada

LES ÉDITIONS HÉRITAGE INC.
300, Arran, Saint-Lambert, Québec J4R 1K5
(514) 875-0327

CHAPITRE 1

Diane rétrograde pour négocier un virage serré. La neige aplanie qui s'étend devant la VW évoque un couloir de bobsleigh. Le paysage est d'un blanc insoutenable. Pourtant, Lara regarde par la fenêtre avec effroi et émerveillement tout à la fois. Cette fin de semaine à la montagne s'annonce comme un des moments culminants de son existence.

— Que penses-tu de ma façon de conduire? s'enquiert Diane.

— Euh... Nous sommes toujours en vie, répond Lara qui ne veut pas offenser sa meilleure et sa plus vieille amie.

— Voudrais-tu, par hasard, que je ralentisse?

Les roues arrière dérapent dans un autre virage.

— Un peu.

— Cela m'est égal d'arriver en retard, dit Céleste, assise à l'arrière, en rouvrant lentement les yeux.

— De toute façon, nous n'avons pas le choix, la route est bloquée, annonce Diane en mettant le frein à main.

Cent mètres plus loin, une chaîne est suspendue au-dessus de la chaussée. Derrière, trois voitures s'entassent dans un parc de stationnement improvisé. Un garde leur fait signe de passer sur le côté. Lara baisse sa vitre.

— Nous allons aux Cèdres. Y a-t-il un autre chemin pour y accéder?

L'homme tire sur ses moustaches blanches. On dirait un sosie du Colonel Sanders.

— Vous devez être des amies des autres jeunes filles.

Diane pousse Lara du coude en pointant du doigt une BMW.

— C'est la voiture de Rachel.

— Alors, nous sommes arrivées, dit Lara. Savez-vous s'il y a longtemps qu'elles sont là, monsieur?

— Oh, pas loin de deux heures.

— Rachel conduit à un train d'enfer, commente Diane.

— Elle n'est pas la seule, marmonne Lara.

— Vous ne pouvez pas aller plus loin en voiture, dit le garde. Mais les Cèdres ne sont qu'à cinq kilomètres d'ici et je vois que vous avez des skis de fond.

Lara a de la peine pour Céleste. À l'école, Céleste ne peut pas faire d'éducation physique à cause de son dos. Elle ne devait pas faire partie du voyage, mais en entendant leurs projets elle les a suppliées de l'emmener, pour au moins jouir du panorama.

— Ça va aller, dit Céleste en rencontrant le regard de Lara.

— Tu n'as pas de skis, remarque Lara.

— Je vais marcher. J'aime beaucoup marcher.

Lara met ses lunettes de soleil et descend de voiture. Beaucoup de sapins ont été cassés par les vents. Les kilomètres à parcourir ne s'annoncent pas faciles.

— Il y a une piste au-delà de cette crête, dit l'homme comme s'il avait lu dans son esprit.

Puis il fronce les sourcils en voyant Diane sortir leurs affaires du coffre.

— J'ai déjà prévenu vos amies. Vous devriez faire provision de nourriture. On annonce une grosse tempête pour cette nuit.

— Je vous l'avais bien dit, fait Diane en envoyant un sac de couchage à Céleste qui perd l'équilibre et disparaît en riant dans une congère.

— J'ai suggéré à Nelly d'attendre la fin de semaine prochaine, dit Lara, mais elle a insisté pour que nous venions maintenant. Rachel aussi, d'ailleurs.

— Tout ce qu'espère Rachel, c'est que tu te casses une jambe et que tu te retrouves à l'hôpital pour être hors course quand l'élection de la reine de la rentrée aura lieu, déclare Diane. Je continue à penser que c'est à cause d'elle qu'on m'a exclue du jury.

— Si c'est sur le visage qu'on me pose un plâtre, elle a peut-être une chance de gagner, ironise Lara.

Rachel l'emportera haut la main. Elle est grande, blonde, bronzée. On dirait une cover-girl. Que peut une petite brune affublée d'un nez un tantinet trop long — quoi qu'en disent ses amies — contre un mannequin? Mais, pour ce qui est du caractère, Rachel ne rallie pas tous les suffrages.

— Que faisons-nous de la voiture? demande Lara à l'homme qui suit leur conversation avec un sourire désabusé.

— Laissez les clefs. J'emmènerai les voitures à la station de ski.

— C'est gentil à vous, remercie Lara, étonnée. Les gardes n'ont-ils pas plus important à faire? Qui devons-nous demander pour les reprendre? demande-t-elle, ne lui voyant pas d'insigne.

— Le Colonel, répond l'homme avec un sourire, en tirant de nouveau sur ses moustaches.

L'effort que Lara doit fournir pour faire tenir en équilibre sur ses épaules son sac de couchage tout en essayant de se rappeler l'art du ski de fond, qu'elle a rarement pratiqué, fait travailler des muscles dont elle ignorait l'existence. Pourtant, elle reconnaît que cela fait des années qu'elle ne s'est pas sentie aussi pleine de joie. L'air est vif, le ciel dégagé. Elle a du mal à prendre au sérieux cette menace de tempête.

— Si je meurs et que les portes du ciel me sont fermées, dit Diane, je veux passer ici le reste de l'éternité.

— Ça nous change effectivement du collège, admet Lara.

— Nous allons peut-être rencontrer des garçons.

— Nous sommes six, observe Lara. Il va falloir en trouver tout un troupeau.

Elle se contenterait d'un seul. Voilà six semaines qu'elle ne sort avec aucun garçon.

— Ce qu'il faut, c'est une petite fête, continue

Diane.

Lara remarque que Céleste qui n'a pas ouvert la bouche rougit.

— Tu sors souvent avec un garçon? lui demande-t-elle.

— Je ne suis jamais sortie avec un garçon.

— Tu devrais, fait Diane. Ils ont besoin de nous. Crois-moi.

— Je... je ne peux pas.

— Ta tante ne te le permet pas?

— Elle... Je crois que ça lui est égal.

— C'est parce que tu es trop timide? dit gentiment Lara.

Céleste regarde par terre, toute triste.

— Oui, c'est pour ça.

Lara a l'impression qu'il y a autre chose. Du coup, elle prend conscience que ses amies et elle savent peu de choses de Céleste.

Le deuxième jour d'école, Lara cherchait quelque chose à lire dans la bibliothèque. Elle avait pris un volume de Stephen King et était en train de parcourir les critiques sur les rabats de la couverture, quand elle s'aperçut qu'une fille mince, pâle, aux cheveux auburn la fixait. Ce qui a frappé Lara dès le premier instant, c'était son visage innocent.

— As-tu lu ce livre? lui demanda-t-elle en agitant le volume.

La fille s'approcha lentement. Elle était très couverte malgré le temps chaud. Par la suite, Lara constata qu'elle s'habillait toujours ainsi.

— J'ai lu tous les livres de cet auteur, répondit-elle d'une voix enfantine.

— Est-ce que cela t'a donné des cauchemars?

— Je rêve souvent de... oh, non, mes lectures ne m'effraient jamais.

— Comment t'appelles-tu?

— Céleste.

— Moi, c'est Lara. Tu es nouvelle ici?

— Oui.

— J'allais prendre mon repas. Tu as déjà mangé?

— Non.

— Tu as faim?

— Oui.

— Parfait. Je t'emmène.

Lara n'aurait pas su dire pourquoi elle avait tout de suite éprouvé de l'affection pour Céleste. Peut-être sa fragilité avait-elle éveillé en elle le désir de la protéger.

Pendant le repas, Lara lui demanda pourquoi elle l'avait fixée avec tant d'insistance.

— Tu avais l'air gentille, avait répondu Céleste d'un ton plein d'étonnement.

Puis Lara avait appris que les parents de Céleste étaient décédés, qu'elle vivait seule avec sa tante, qu'elle avait des problèmes de dos à cause d'un accident de voiture et qu'elle aimait les livres.

— Nous y voici! s'exclame Diane en découvrant du haut d'un promontoire glacé une maison à trois étages, adossée à une paroi naturelle de granite, avec sur la vallée une vue à couper le souffle. Un mince filet de fumée s'échappe de la cheminée en brique. Les jeunes filles se déchargent de leur fardeau.

— Vous imaginez la quantité d'argent que doivent posséder les parents de Nelly pour pouvoir acheter une propriété pareille? fait Diane avec un mélange de dédain et d'envie dans la voix.

— L'argent ne fait pas tout, dit Céleste.

— Nous ne t'avons jamais parlé de Nelly, dit Lara. Elle faisait partie de notre groupe lorsque nous étions petites. Elle a déménagé quand nous avions dix ans. Sa famille est dans le pétrole. Nous avons gardé le contact. C'est une bonne amie.

— Quand tu la verras, ajoute Diane, ne te laisse pas impressionner pas sa froideur. C'est sa façon d'être, tout simplement. Et puis, elle n'a pas eu la vie facile.

— Pourquoi? demande Céleste.

Lara et Diane échangent un regard. Nelly n'avait pas déménagé. On l'avait emmenée, loin.

À part la présence de Céleste et l'absence de Nicole, la cadette de Nelly, cette fin de semaine réunit les mêmes personnes que *la dernière fois*.

— Nelly a été victime d'un accident à l'âge de neuf ans. Elle a eu le visage et les mains brûlés. Elle a dû subir des interventions de chirurgie plastique, ce qui est très douloureux. Ça a l'air d'aller maintenant, mais nous n'arrivons pas à oublier car, vois-tu, ce qui lui est arrivé, c'est un peu à cause de nous toutes.

— Y a-t-il eu d'autres blessés? interroge Céleste en se baissant pour faire une boule de neige.

— Non, réplique vite Diane. Personne d'autre n'a été blessé.

Diane implore Lara du regard. Elles ont la même pensée.

Ne pas en parler. Ne pas se rappeler.

— Personne d'autre, répète Lara tout bas.

Ce n'est pas vraiment un mensonge. Nicole n'a pas été blessée. Elle est morte.

— Je me montrerai particulièrement gentille avec elle, promet Céleste.

— Hé, espèces de pingouins! leur crie-t-on de la maison. Pourquoi avez-vous tant tardé?

Monique, empêtrée dans son écharpe et son enthousiasme, vient vers elles en progressant avec difficulté. Physiquement, c'est un pâle reflet de Rachel, son idole. Pour le reste, elle ressemble à sa passion, la gomme à mâcher. Elle est douceâtre, s'enfle pour un rien et de temps en temps explose. Lara ne conçoit pas la vie sans elle.

— Donne-moi cette boule de neige, dit Diane à Céleste.

Monique reçoit le projectile en plein front.

— Je viens juste de me maquiller! proteste-t-elle en s'essuyant le visage.

Un combat bref mais furieux s'engage. Surpassée en nombre — deux contre une, car Céleste ne participe pas — Monique doit bientôt se rendre. Elle est condamnée à les aider à porter leurs bagages à la maison.

— Avez-vous eu beaucoup à faire pour rendre cet endroit viable? demande Lara.

— Nelly a travaillé énormément. Elle nous a quand même fait nettoyer le sous-sol. Mais Rachel et moi avons consacré le plus clair de notre temps à construire un bonhomme de neige. Il est de l'autre côté de la maison. Nous lui avons mis l'écharpe que ta mère a tricotée pour Rachel quand elle était petite, mon chapeau de cow-boy et des lunettes de soleil.

Rachel fait son apparition sur la véranda.

— Salut, les filles, dit-elle de sa voix légèrement moqueuse.

En voyant Rachel dans son costume de ski bleu moulé sur son corps, avec son éblouissante cascade de cheveux blonds, Lara songe de nouveau qu'il est bien ridicule d'être en compétition avec elle.

— Quelle allure! fait Diane dégoûtée. Inutile que je fasse des efforts pour plaire aux garçons.

Rachel a un petit sourire. Elle est consciente de sa supériorité physique.

— Comment vas-tu, Princesse Lara? s'informe-t-elle.

— En pleine forme, Princesse Rachel, l'imite Lara. Où est notre loyal sujet, Nelly?

— En train de préparer nos suites royales, pauvrette, répond Rachel.

Elles éclatent toutes de rire. Rachel descend les marches pour les embrasser.

— Tu dois conduire comme une folle, lui dit Diane.

— Nous sommes parties avant l'aube. Il fallait que je passe prendre Nelly. Tu aurais dû voir sa maison. Un vrai château.

— Comment va-t-elle? s'enquiert Lara.

— Comme ci, comme ça. Elle a un peu de fièvre. Je pense que c'est parce qu'elle nous a toutes avec elle... tu vois ce que je veux dire.

— Ton avis à propos de la tempête qui inquiète le Colonel Sanders? lui demande Diane.

— Qu'importe quelques flocons de neige de plus?

— Ces quelques flocons risqueraient de nous ensevelir pendant plusieurs jours, observe Diane. Nous t'avions dit qu'il valait mieux attendre la fin de semaine prochaine.

Le regard de Rachel se durcit. Lara a toujours pressenti que Rachel était capable de réelle violence.

— Il fallait que nous venions maintenant, se contente-t-elle de dire.

— Bonjour, lance Nelly, faisant sursauter tout le monde.

Elle est debout sur la véranda, appuyée contre la balustrade. Elle a les traits tirés. Les cicatrices près du nez et de la bouche ressortent plus que d'habitude. C'est la première fois depuis l'accident que Lara voit Nelly sans un épais maquillage.

— Comment vas-tu? s'informe timidement Diane en allant vers elle.

— Ça va. Ça me fait plaisir de te revoir, Diane. Sincèrement.

Lara s'avance, portée en avant par une force indépendante de sa volonté. Elle serre Nelly dans ses bras. Nelly hésite avant d'en faire autant. Lara a les yeux brillants de larmes. Pourquoi cette vague d'émotion soudaine? Elles se séparent, se scrutent mutuellement.

— Tu as l'air en forme, dit finalement Lara.

Nelly sourit.

— Toi, plus encore.

Lara pose sa main sur le front de Nelly.

— Mais tu as de la fièvre.

En fait, elle ne la trouve pas chaude du tout.

Nelly hausse les épaules.

— J'irai mieux après une petite sieste. J'ai préparé vos chambres. Vous avez chacune la vôtre et elles se trouvent toutes au dernier étage.

— Merci, dit Lara.

— Je voudrais te féliciter de compter parmi les cinq plus belles filles du collège, déclare cérémonieusement Nelly.

Le compliment rappelle à Lara que Nelly aurait été, aurait dû être très belle.

Céleste se cache derrière Rachel et Monique. Lara lui fait signe de s'approcher.

— Voici notre nouvelle amie, dont je t'ai parlé au téléphone. Nelly, je te présente Céleste.

Pendant un long moment, personne ne bouge ni ne dit mot. Nelly se décide enfin à tendre la main à Céleste.

— C'est un joli nom, Céleste, dit-elle avec une pointe de nervosité. Je suis heureuse que tu sois venue.

— Je te remercie de m'accepter chez toi, réplique Céleste.

Lara remarque une certaine tension entre elles et se demande si Nelly n'a pas la sensation qu'elles lui imposent la présence de Céleste.

— Céleste a des problèmes de dos. Elle ne viendra pas skier avec nous, précise-t-elle. Elle pourra garder la forteresse.

— À propos, intervient Rachel, sans vouloir offenser personne, je ne suis pas seulement venue ici pour bavarder, mesdemoiselles. Allons nous mesurer aux pistes!

— À quelle distance se trouvent les remonte-pentes? demande Monique.

— À environ six kilomètres, répond Nelly. Mais une excellente piste de fond y mène. Je vais vous montrer sur la carte.

— Tu ne viens pas avec nous? s'étonne Lara.

— Je veux me reposer un petit peu d'abord. Je vous rejoindrai plus tard. Bon, venez, que je vous montre vos chambres.

Les chambres sont immenses. La cheminée centrale — en tout, il y en a trois — pourrait contenir un boeuf. L'odeur constante de pin et de cèdre est un délice. Nelly ne leur fait pas visiter le sous-sol mais elle leur apprend qu'on vient d'y installer une nouvelle cuve de propane dont la capacité leur permettrait de tenir pendant le pire hiver.

Cela contrarie Lara que Nelly ne se sente pas assez bien pour les accompagner, mais elle est contente que Céleste ne reste pas toute seule. Pourvu qu'elles s'entendent bien toutes les deux.

Avant de partir, Rachel et Monique insistent pour que les autres voient leur bonhomme de neige. Elles sortent pas une porte latérale. La maison projette son ombre sur la neige. Mais il n'y a pas de bonhomme de neige.

L'écharpe, les lunettes de soleil et le chapeau de cow-boy sont par terre.

— Monique, fait Rachel d'un ton de reproche.

— Je ne l'ai pas détruit!

— Ce n'est quand même pas Nelly, dit Rachel.

— Je n'ai pas quitté la maison depuis que nous

sommes arrivées, dit Nelly, perplexe.

— Ce doit être un tueur de bonshommes de neige, décrète Rachel.

— Les seules traces visibles mènent à la maison, remarque Nelly.

— Il a dû fondre, dit Monique.

— Impossible, tranche Nelly. Il était à l'ombre. D'ailleurs, il fait trop froid.

Lara se baisse pour ramasser les effets du bonhomme de neige. Elle tire d'un coup sec l'écharpe et le chapeau. Ils avaient gelé sur place. Un cercle concave de glace, d'environ un mètre quatre-vingt de diamètre a pris la place du bonhomme de neige.

— Il a sûrement fondu, conclut Lara, et en même temps que lui la neige qui l'entourait. Puis tout a gelé. Vous voyez comme la surface est lisse, ici?

— Étrange, dit Rachel en fronçant les sourcils.

— Y a-t-il une conduite de chauffage ou un ventilateur en dessous? demande Lara à Nelly.

— Non.

— Il y en a forcément, insiste Rachel. Sous terre peut-être.

Nelly secoue négativement la tête.

— Je viens ici depuis que je suis toute petite. Je le saurais.

— Comment diable a-t-il fondu, alors?

— Il a vu une bonnefemme de neige se promener toute nue et il s'est échauffé, propose Diane.

Sur ce, elles rentrent dans la maison, sauf Lara qui continue à examiner le cercle de glace. C'est comme si le bonhomme de neige avait subitement pris feu.

— J'ai faim, grogne Diane.

— Tu as toujours faim, dit Lara.

— J'aimerais que l'anorexie soit contagieuse pour l'attraper.

— Je me demande pourquoi elles tardent tant.

Diane et Lara viennent de louer des skis alpins qui semblent monter la garde à côté d'elles. Rachel et Monique sont encore en train de s'équiper. Nelly leur a donné des billets de remontées. Le trajet depuis la maison s'est effectué sans encombres. Mais de lourds nuages commencent à obscurcir le ciel.

— Rachel doit être en train de faire reluire ses skis pour s'y mirer toutes les fois qu'elle baisse les yeux, dit Diane.

— Je t'ai entendue, fait sèchement Rachel qui arrive à ce moment, Monique sur ses talons, toutes deux les mains vides.

— Où sont vos skis? interroge Lara.

— Nous irons les prendre plus tard. Nous avons quelques petites choses à faire avant, Monique et moi.

— Quelles choses?

— Nous allons retrouver des amis, répond Monique en faisant une bulle avec sa gomme.

— Nous sommes venues skier, rappelle Diane, vaguement jalouse.

— Mais, tu as faim, Diane, rétorque Rachel. Il faut que tu prennes un peu de nourriture, sinon ton adorable double menton va disparaître.

Diane lui tire la langue.

— C'est vrai, reprend Rachel sérieuse, vous

pouvez manger, Lara et toi, en attendant. Ce ne sera pas long.

Rachel et Monique font demi-tour, comme si tout était réglé.

— C'est pour cette raison que cette fin de semaine était si importante? leur lance Lara.

Elles se contentent de rire et s'en vont.

— Ai-je vraiment un double menton? demande Diane.

— Mais non.

— Menteuse. Bon, allons nous remplir la panse.

La cafétéria de la station est bondée. Elles doivent attendre pour s'asseoir. Diane commande un sandwich au poulet et aux noix de cajous, ainsi qu'un gros morceau de gâteau au chocolat. Lara se contente d'un bol de potage aux légumes. Elle s'est mise au régime, comme d'habitude.

— J'ai lu dans un magazine qu'on brûle, en skiant, sept cent cinquante calories par minute, dit Diane la bouche pleine. Tu ne veux vraiment pas de mon gâteau?

— En une heure.

— Hein?

— Sept cent cinquante calories en une heure. J'ai lu le même magazine.

— Donc, tu ne veux pas de mon gâteau?

— Non, mais j'ai encore faim. Une pomme, peut-être, fera l'affaire.

Dans la coupe de fruits, toutes les pommes sont vertes. Elle préfère prendre une orange à la place. Elle en tâte une demi-douzaine.

— Tu en cherches une dure ou une molle? demande doucement une voix masculine derrière elle.

Elle sursaute et laisse tomber l'orange qu'elle tenait. Le jeune homme la ramasse et la pose sur la table.

— Je parie que tu ne veux pas celle-ci.

Lara secoue négativement la tête. Il a quelques années de plus qu'elle et la dépasse de vingt bons centimètres. Il doit être d'ascendance grecque ou slave, d'après son teint olive. Ses yeux vert clair tranchent sur ses cheveux noirs en bataille. Il a un air un peu inquiétant, mais séduisant sans conteste.

— Je t'ai posé cette question, continue-t-il, parce que j'ai souvent vu les gens tâter les oranges, mais sans jamais comprendre pourquoi.

Pas mal comme entrée en matière.

— J'en cherchais une, ni trop dure, ni trop molle, explique Lara.

— Tu es ici pour la journée?

— Pour la fin de semaine.

— Il paraît qu'il va neiger fort cette nuit.

— Je sais.

— Où es-tu installée?

— Chez une amie, répond Lara en souriant. Je suis venue avec d'autres filles du collège.

Le fait de ne pas être accompagnée d'un garçon supprime une barrière. Il sourit. Il a de belles dents.

— Je m'appelle Pierre.

Elle lui serre la main.

— Lara. Enchantée de te connaître.

Pierre prend deux fruits au hasard dans la coupe.

— Ils ont l'air bons. Je peux m'asseoir avec toi?

— Eh bien... c'est que je suis avec une amie. Il faut que je lui demande.

— Mon copain devrait arriver dans une minute. Nous en avons assez de n'être que tous les deux.

— Bon...

Elle conduit Pierre à sa table. Les yeux de Diane s'illuminent en le voyant. Elle étire le cou pour escamoter tout pli inopportun.

— Diane, je te présente Pierre. Il est ici avec un ami.

— Salut! s'exclame Diane, un peu trop fort.

— Bonjour.

Ils s'asseyent et la conversation s'engage agréablement. Ce sont surtout Lara et Diane qui prennent la parole. Pierre possède la rare vertu de savoir écouter. Son intérêt pour les deux filles semble authentique. Quand elles lui posent une question, même banale, il réfléchit un moment avant de répondre, montrant par là qu'il les prend au sérieux. Il est orphelin et il n'a pas fini son secondaire. Depuis qu'il a quitté l'orphelinat, il a beaucoup voyagé à travers le Canada, en travaillant et en gagnant suffisamment d'argent pour survivre. Maintenant, il est employé comme camionneur par une compagnie d'ameublement. Mais il leur assure qu'il a d'autres ambitions. Lesquelles au juste, il ne sait pas. Il a vingt-deux ans.

Il n'est pas indifférent à Lara. Elle le reconnaît à certains symptômes, à cette espèce de voile magique qui, soudain, rend les choses beaucoup plus brillantes et attractives. Mais de peur d'être déçue, elle essaie de ne pas s'abandonner à ses fantaisies. Après tout, ce n'est qu'un garçon parmi tant d'autres.

— Tu sembles mener une vie passionnante, lui dit-elle. Cela ne t'a pas défavorisé de ne pas avoir fini ton secondaire?

— Non.

— Parle-moi de ton ami, fait Diane.

Pierre hésite.

— Charles? Ce n'est pas vraiment un ami. Je ne le connais pas depuis longtemps. Je cherchais un endroit où dormir et il y avait une pièce libre chez lui. C'est tout un personnage. Tiens, en parlant du loup, le voici à l'entrée. Je reviens tout de suite.

— Qu'en penses-tu? demande Lara à Diane une fois que Pierre s'est éloigné.

— Que tu as bien de la chance. J'espère que son ami a le dixième de son charme.

— Et si c'était toi qui lui plaisais?

— Je n'ai pas eu l'impression que ma beauté lui faisait perdre la tête. Hé, tu te souviens? Je t'ai proposé d'organiser une petite soirée chez Nelly. Invitons ces deux garçons. Avec les amis de Rachel et de Monique, quelle fête!

— Que vont dire Nelly et Céleste? Cette réunion chez Nelly n'est pas censée tourner à l'orgie.

— Nous ne leur permettrons pas de rester.

— Je ne sais pas, dit Lara en tambourinant des ongles sur la table.

Elle est plus que tentée.

— Ses garçons risquent de penser à mal. Il faut d'abord en parler à Nelly.

— Téléphone-lui!

— Tu n'as même pas encore vu ce Charles!

— Et alors?

— Laisse-moi réfléchir.

Charles est un géant roux à la mâchoire épaisse. L'antithèse de Pierre. Il s'assied à califourchon sur une chaise et vante quinze minutes durant ses exploits de skieur et ceux de Pierre. Diane semble le trouver assez à son goût. Soudain, il se lève.

— Il faut que je m'en aille. Je dois descendre mes bagages de ma camionnette. Tu veux venir, Diane?

— Avec plaisir.

— Je te retrouve dans quelques instants, lance Pierre à Charles. C'est juste une connaissance, tu comprends, ajoute-t-il avec un soupir à l'intention de Lara quand Charles ne peut plus l'entendre.

— Quel âge a-t-il?

Pierre hausse les épaules.

— Je ne sais pas exactement. Dans les vingt-deux ans.

— Diane ne risque rien avec lui?

— Je pense que non.

— Je devrais plutôt m'inquiéter pour Charles, d'ailleurs.

— Je peux te revoir? demande tout à coup Pierre.

— J'aimerais bien, dit calmement Lara, mais son coeur bat la chamade.

— Quand?

— Nous pourrions skier ensemble.

Pierre secoue la tête.

— Charles a peut-être exagéré nos prouesses, mais nous partons quand même de tout en haut.

— Vous prenez la piste Kamikaze! Mais, si vous tombiez, que se passerait-il?

— On roulerait jusqu'au pied de la montagne. Ne t'en fais pas. J'ai souvent pris cette piste.

Lara prend une inspiration profonde.

— Mes amies vont probablement inviter des garçons à passer la soirée avec nous. Si Charles et toi voulez venir, je ne pense pas qu'il y ait de problème. Mais je dois vérifier auprès de Nelly. La maison est à elle.

— Parfait. Nous pouvons apporter des boissons.

Tout en se demandant si elle n'agit pas trop à la légère, Lara se lève pour aller téléphoner. Nelly lui a donné son numéro par écrit avant qu'elles ne quittent la maison.

— Allô, Nelly? Ça va?

— Ça va.

— Bon. Tu t'entends bien avec Céleste?

— Oui. Nous... nous avons longuement bavardé.

— Tant mieux. Je t'appelle pour te demander quelque chose, mais n'hésite pas à dire non. Nous venons de faire la connaissance de deux garçons et nous avons pensé que nous pourrions les inviter à passer la soirée avec nous. Juste un petit moment.

— Cela ne me dérange pas. Laisse-moi demander à... à...

— À Céleste.

— Oui, laisse-moi demander à Céleste.

Nelly revient au bout d'une éternité.

— Céleste dit que c'est d'accord en ce qui la concerne, mais de ne pas vous fatiguer à lui trouver un garçon.

Lara éclate de rire.

— Et pour toi?

— Apporte ce qu'il y aura.

— Tu vas venir skier avec nous?

— Peut-être.

Lara comprend que Nelly ne viendra pas.

— Au revoir, Nelly.

— Amuse-toi bien, Lara.

Il y a tant de mélancolie dans cette voix que Lara en a le coeur brisé.

— Nous essayerons de rentrer de bonne heure, promet-elle.

Pierre est content de la bonne nouvelle. Lara lui explique comment arriver à la maison et elle lui donne poliment à entendre qu'elles veulent se coucher tôt.

Ils ont à peine repris leur bavardage que Rachel et Monique font leur apparition.

— Pierre! s'exclame Rachel. Qu'est-ce que tu fais ici? Où est Charles?

«Oh, non», se dit Lara. Et elle rassemble ses forces en prévision de la scène qui va éclater.

Pierre se lève, l'air maladroit.

— Salut, Rachel, salut Monique. Qu'est-ce que... Charles est avec Diane.

Monique en laisse choir sa gomme.

— Avec Diane?

Rachel s'assied.

— Ainsi, tu as fait la connaissance de mon ami, Lara?

— Oui, murmure Lara.

Pierre secoue la tête en reprenant place sur sa chaise.

— Parfait, dit Rachel enjouée, en décochant à

Lara un bref coup d'oeil plein de haine. Je suis heureuse que tu aies pu venir, Pierre.

— Je n'étais pas sûr que tu viendrais, dit Pierre en souriant.

Il a retrouvé sa contenance et apprécie l'humour de la situation.

— Comment vous êtes-vous rencontrés? demande Rachel à Lara.

— Eh bien...

— Nous nous sommes rencontrés près de la coupe de fruits, dit Pierre d'un ton détaché.

— Près de la coupe de fruits, répète Rachel en hachant ses mots.

— Est-ce que Charles va revenir? demande Monique.

Pierre se lève en riant.

— Je vais aller le chercher. Il est temps d'aller skier. À ce soir, les filles. Au revoir.

— Ce soir? fait Rachel. Qu'y a-t-il de spécial ce soir?

— Une soirée, chez vous, répond Pierre avec un sourire.

Puis il se dirige vers la caisse pour payer les oranges et sort sans se retourner.

Compte tenu de l'altitude, l'atmosphère autour de la table est plutôt chargée.

— Où est donc Diane? se lamente Monique.

— Oh, toi, tais-toi! lui intime Rachel. Diane est avec Charles. Charles est avec Diane. Ils sont tous les deux au même endroit. N'est-ce pas, Lara?

Lara se mord la lèvre et fait de la main un geste d'impuissance.

— C'est dingue. Je l'ai rencontré par hasard,

Rachel.

— Je sais, près de la coupe de fruits.

— Je ne savais pas que c'était lui que tu attendais.

— Espèce de petite coureuse!

— Espèce de grande coureuse!

— Ça fait longtemps que Diane est avec Charles? intervient Monique.

Lara part d'un rire hystérique.

— Assez longtemps, Monique. Assez longtemps.

— Pourquoi l'as-tu invité à la maison? interroge Rachel, la voix tranchante comme un rasoir.

Lara cesse de rire et regarde Rachel droit dans les yeux.

— Parce que Nelly m'a dit qu'il n'y avait pas de problème.

— Satané Pierre.

— Je regrette, Rachel, dit Lara, pas tout à fait sincère. Quand avez-vous rencontré ces deux garçons?

— Au centre commercial, il y a deux semaines, dit Monique d'une voix maussade.

— On dirait un mélo, fait Lara. J'ai toujours eu horreur des mélos.

Et l'histoire ne fait que commencer.

— Quel type dégoûtant! peste Diane qui arrive au beau milieu de cette joyeuse assemblée.

Elle a les cheveux en désordre et son maquillage est à refaire.

— Cela ne fait pas cinq minutes que je suis dans la chambre de ce type, en train de l'aider à déballer ses affaires, quand tout à coup il me saute dessus. Pour qui me prend-il? Rachel, Monique, si vous l'aviez vu...

— Elles l'ont vu, dit Lara les yeux au plafond.

— Il t'a embrassée? hurle Monique, au bord des larmes.

Elles sont devenues le centre d'intérêt du restaurant.

— Hein? fait Diane perplexe.

— Rachel, elle...

— Tais-toi, Monique, l'interrompt tranquillement Rachel.

Elle prend Monique par la main et se lève.

— Ta soirée s'annonce bien, Lara, laisse-t-elle tomber froidement.

— On ne s'y ennuiera pas, reconnaît Lara.

— À tout de suite sur les pentes, ajoute Rachel, portant presque Monique.

Diane les regarde s'éloigner, les yeux ronds d'étonnement.

— Quelque chose m'échappe, avoue-t-elle.

— Si tu savais, tu n'en croirais pas tes oreilles, assure Lara.

CHAPITRE 2

Ce qui devait être un des moments culminants de l'existence de Lara s'avère plutôt fade. Elle ressent davantage ses courbatures que le plaisir qu'elle devrait normalement tirer de l'exercice. Le vent commence à souffler et elle a froid aux mains. Tout est la faute de Rachel.

Le regard fixé sur ses skis qui se balancent dans le vide et sur la neige marquée de sillons enchevêtrés plusieurs mètres au-dessous d'elle, Lara a conscience que si Diane et elle-même ne font pas vite la paix avec Rachel et Monique, cette fin de semaine sera un désastre. Elles ne se sont pas parlé depuis le repas, s'arrangeant pour ne pas prendre les remonte-pentes ensemble et maintenir entre elles une bonne distance, une distance hostile. Il est trois heures de l'après-midi. Le soleil ne va pas tarder à disparaître. Elles devront rentrer et préparer la soirée.

Lara se demande si elle ne devrait pas retrouver Pierre, lui dire de ne pas venir. Diane n'a pas du tout hâte de se retrouver nez à nez avec Charles. Mais la perspective d'annuler la soirée sape davantage encore le moral de Lara. Elle s'imagine une liaison avec Pierre. Il l'invite à sortir, l'emmène au restaurant et au théâtre. Puis ils se quittent en s'embrassant et se promettent de se revoir le lendemain, et le jour suivant. C'est incroyable l'effet qu'une simple conversation peut avoir. Bien sûr, la soirée avec Rachel déployant tous ses charmes pourrait réduire ses rêves à néant.

Lara saute du télésiège. Comme ses pensées sont ailleurs, elle tombe rudement sur son arrière-train. Elle parvient à se relever après trois essais infructueux. Elle cherche Diane des yeux. La voici qui arrive, dix sièges plus bas.

— Tu as fait une belle chute, la félicite Diane en arrivant près d'elle.

— Dommage que tu n'aies pas apporté ton appareil-photo, rétorque Lara amèrement.

— Ça t'apprendra à ne pas m'attendre. Ouh, je suis tombée déjà une douzaine de fois sur les fesses. Tu ne m'as pas vu pleurer?

— Si, mais tu as de bons amortisseurs.

— Ce n'est pas très gentil de ta part. Dis-moi que tu regrettes et je te pardonne. Si nous commençons à nous disputer, c'est la fin.

Lara enlève son bonnet de laine et ses lunettes embuées. Elle chasse ses cheveux de devant ses yeux. Tout de suite, elle sent le vent lui cingler les oreilles. Des nuages gris s'amassent au-dessus de leurs têtes.

— Je regrette.

— Je te pardonne. Lara, qu'est-ce que tu as? Je crois que je sais.

— Crois-tu que nous devrions ravaler notre orgueil et lever le drapeau blanc?

— Je les vois qui arrivent.

— Attendons-les.

— Qu'allons-nous leur dire? Tu n'arriveras à rien si tu ne décommandes pas la soirée.

— Non. Je connais Rachel. Elle veut que la soirée ait lieu. Elle s'imagine que lorsque Pierre nous verra ensemble, elle et moi, il n'hésitera pas. Et elle a raison, ajoute-t-elle avec un soupir en remettant son bonnet.

— Dis à Pierre que Nelly a changé d'idée et donne-lui ton numéro de téléphone.

— Rachel l'apprendrait et elle croirait que j'ai peur de me mesurer à elle.

— Laisse-moi m'en charger, alors. Les autres savent que ce Charles ne me plaît pas du tout.

— Non.

— C'est stupide.

— Je sais. Mais je veux le revoir. Il me manque déjà.

— Je vois. Nous n'avons plus le temps de décider. Voici Rachel et Monique. Soyons naturelles.

Rachel et Monique ont compris que les autres les attendent. À sa descente du télésiège, Rachel daigne leur adresser un regard. Monique, moins subtile, leur tourne carrément le dos. Lara sait qu'elle devra faire le premier pas.

— Salut, les amies, dit-elle.

— Serais-tu ironique, par hasard? interroge Rachel.

— Pas du tout. Vous vous amusez bien?

Monique se retourne lentement. Rachel semble avoir quelque peu abaissé sa garde.

— La neige est divine. C'est super.

— Super, renchérit Monique.

— Nous voulons vous offrir une trêve et annuler la soirée.

Rachel revient aussitôt sur la défensive.

— Moi, j'ai plutôt hâte d'être à ce soir. Comme tu l'as dit, on ne s'ennuiera pas. Au contraire.

— Bon, fait Lara en haussant les épaules.

Elle se sent lasse. Rachel va décocher son plus beau sourire à Pierre, passer ses ongles effilés dans sa chevelure dorée et lui frôler la jambe comme par hasard en s'asseyant à ses côtés. Pierre ne lui résistera pas. Mais au moins, elle aura l'occasion de le revoir.

Elles commencent à descendre. Diane et Monique font équipe. Elles sont aussi piètres skieuses l'une que l'autre et se font vite distancer. Rachel joue des jambes pour freiner car elle prendrait facilement de la vitesse. Lara se sent inférieure à tous égards.

Elles ont déjà atteint le bas de la piste. Encore deux tours et Monique et Diane sont définitivement hors course. Enfin, à peine capable de se tenir debout en haut de la descente, Lara propose d'arrêter.

— D'accord, accepte Rachel. Mais passons à travers les arbres, cette fois. J'en ai assez de ce boulevard. Tu crois que tu peux te débrouiller?

— Bien sûr, dit Lara qui appréhende l'idée au fond.

Les arbres avaient déjà mis ses possibilités à l'épreuve au début de la journée, alors, maintenant qu'elle est complètement épuisée, elle risque de se rompre le cou. Mais pas question d'admettre devant Rachel qu'elle a peur.

Elle s'étonne que Rachel imite ses déplacements prudents. Peut-être est-elle fatiguée, elle aussi, car elle est étrangement silencieuse. Elles manoeuvrent, telles des soeurs siamoises, en décrivant de larges courbes autour des arbres, jusqu'au moment où elles pénètrent dans la section la plus obstruée du parcours.

Lara aperçoit un bouquet d'arbres. Il faudra user de stratégie. Soudain, Rachel accélère et lui passe devant. Lara essaie de ralentir, mais elle perd l'équilibre et s'effondre. Le ciel sombre, les arbres enneigés, la neige poudreuse se brouillent dans sa vision. Elle déboule la pente à toute vitesse. Elle se rappelle Pierre lui racontant qu'il n'y avait qu'à se laisser rouler jusqu'au pied de la pente. Elle n'aura pas cette chance.

Lara entend le choc plus qu'elle ne le sent. Puis, le silence. Ses pensées tournent dans sa tête, comme en un rêve. Elle éprouve un profond dégoût pour Rachel. L'idée qu'il s'agisse d'un accident ne l'effleure même pas. Elle ouvre les yeux, mais les images tardent à être nettes. Une voix l'appelle dans le brouillard. La voix de Pierre.

— Lara. Tout va bien. Ne bouge pas.

Lara trouve ces paroles assez contradictoires, mais elle est si heureuse qu'il soit venu à son secours qu'elle ne tient pas compte du conseil et s'assied. Le paysage danse autour d'elle puis se stabilise. Elle est empêtrée dans un buisson aux branches acérées. Un mètre de plus et son crâne aurait percuté un tronc épais. Pierre est agenouillé auprès d'elle. L'inquiétude assombrit son beau visage.

— C'est original de se rencontrer comme ça, dit-elle en lui souriant.

— Reste parfaitement immobile. Tu t'es peut-être cassé quelque chose.

— Je me sens bien. Pas une égratignure, fait-elle en chassant une drôle de mèche.

Elle retire sa main. Elle est tachée de sang.

— Enfin, si, une égratignure, murmure-t-elle en remuant lentement bras et jambes.

Les dégâts semblent superficiels. Sourde aux protestations de Pierre, elle essaie de se remettre debout. Son genou gauche la fait souffrir, mais c'est tout.

— Tu vois, je suis d'un seul morceau.

— Tu as de la chance. En te voyant perdre l'équilibre juste avant ces arbres, je m'attendais au pire.

— Je n'ai pas perdu l'équilibre. Rachel m'est passée devant.

Il semble interloqué.

— Ce qui est arrivé, c'est que tu as rencontré une couche de glace et que tu as brusquement pris de la vitesse. Je suis sûr qu'elle ne t'a pas volontairement poussée dans ces buissons.

«Tu ne la connais pas comme moi je la connais», se retient de dire Lara.

— Où est-elle? se contente-t-elle de demander.

— Ce n'est pas très gentil de sa part de t'avoir abandonnée, par contre.

— C'est par hasard que tu te trouvais ici?

«Tu me suivais, tu n'as cessé de penser à moi toute la journée, tu avais envie de me voir», songet-elle.

— Non, je te suivais, répond-il en riant.

— Vraiment?

— Je t'ai vue descendre du télésiège avec Rachel. J'ai essayé de vous rejoindre. Je vous ai appelées plusieurs fois, mais vous n'entendiez pas. Il repousse les cheveux qui tombent sur la blessure de Lara.

— Ça continue à saigner. Il faudra peut-être te faire des points de suture.

— Ah, non! Le médecin me demanderait de me couper les cheveux. Pourquoi nous suivais-tu? ajoute-t-elle.

— Pour vous dire que nous ne viendrons pas, ce soir. J'ai parlé avec Charles. Il m'a raconté à propos de Diane. Alors, j'ai réfléchi. Et Rachel ne semblait pas très enthousiaste. N'en parlons plus.

— Non, dit Lara d'un ton ferme.

«Que tu es bête, se dit-elle. Tu n'as qu'à lui donner ton numéro de téléphone.» Mais ce serait trop facile. Elle se sent tout à coup sûre de gagner l'affection de Pierre et elle veut que Rachel en soit témoin.

— J'ai parlé avec Diane, Pierre. Je pense que Charles lui plaît plus qu'elle ne veut bien l'avouer. Imagine-toi. Six filles dans une grande maison. Qu'est-ce que nous allons nous ennuyer! Venez donc et ne vous en faites pas. D'accord?

— Je ne sais pas. Tu viens de dire que c'est Rachel qui t'a fait tomber. C'est peut-être à cause de la soirée.

Lara secoue ses skis et ils redescendent lentement vers la station.

— Si elle l'a fait exprès, dit-elle hardiment, j'aurai besoin de toi pour me protéger.

Pierre a beau insister pour que Lara voie un médecin, elle refuse catégoriquement. Quand ils arrivent à la station, sa coupure ne saigne plus. Son genou, par contre, lui lance. C'est avec difficulté qu'elle parvient à dissimuler son boitement. Il paraît que les garçons apprécient les filles qui savent endurer la souffrance.

Ils s'asseyent dans la cafétéria, à la même table qu'auparavant, et parlent de neige et de ski. Il y a moins de monde. Lara se demande où sont les filles. Le soleil a déjà disparu derrière la montagne. Peut-être sont-elles rentrées sans elle. Elle est sur le point d'appeler Nelly lorsque Pierre lui propose de skier encore un peu.

— N'est-il pas trop tard?

Elle se sent moins euphorique, du coup. Il veut skier au lieu de bavarder avec elle. Il ne l'aime pas.

— J'avais pensé que nous pourrions manger quelque chose ensemble, dit-elle.

Il se lève, prêt à partir. Il a assez perdu de temps avec elle.

— Je ne fais jamais d'exercice quand j'ai l'estomac rempli, explique-t-il, toujours aussi charmant. Mais te sens-tu capable de marcher? Le chemin est long. Tu avais beau essayer de le cacher, j'ai bien vu que tu boitais.

Elle ne veut pas saisir ce prétexte pour le retenir.

— Je me sens parfaitement bien.

Elle se met debout en s'efforçant de ne pas

grimacer de douleur.

— En es-tu sûre?

— Absolument.

Il semble pressé.

— À plus tard, alors. Entre sept et huit heures, ça va?

— Ça va. Amuse-toi bien.

Ils se regardent, l'air maladroit. Elle voudrait qu'il l'embrasse. Il se contente de lui donner une tape sur l'épaule en lui recommandant de faire attention à elle. Puis il s'en va. C'est alors que Lara voit le garde qui a pris les clefs de la voiture de Diane se diriger vers le bar.

— Monsieur? Avez-vous nos clefs de voiture?

Il se dirige vers elle à contrecoeur, semble-t-il. Il ne porte pas d'uniforme. Il regarde ses cheveux tachés de sang en lissant nerveusement sa moustache.

— Vous vous êtes écorché le front, hein. Un ours vous a attaquée?

— Non, un arbre. Alors? Et nos clefs?

Il fourre sa main dans sa poche et la ressort vide. Il sourit, découvrant une dentition en mauvais état.

— J'ai dû les laisser au bureau.

— Pourrions-nous les récupérer tout de suite?

— Oui, répond-il sans le moindre enthousiasme. Mais j'ai fini ma journée. Vous restez jusqu'à dimanche soir, n'est-ce pas?

— Oui.

— Vous pourrez prendre vos clefs en partant, alors.

— Je préfère aller les chercher maintenant.

— C'est que j'allais m'installer pour regarder un match de football. Écoutez, vos clefs vont vous attendre au bureau. Allez, ajoute-t-il en souriant et en lui donnant une bourrade, faites attention aux ours. Ils pourraient vous manger toute crue.

Il s'éloigne avant qu'elle ait le temps de protester. Elle est envahie par le doute. Il s'est donné la peine de déplacer leurs voitures mais il ne veut pas se déranger pour leur rendre leurs clefs. D'abord, il n'a pas d'insigne et maintenant, il n'a pas d'uniforme. De plus, il a l'air plutôt âgé pour un garde. Peut-être que ce n'en est pas un. Il faut qu'elle tire cela au clair.

Lara boite jusqu'au téléphone et cherche dans ses poches le papier sur lequel est inscrit le numéro de Nelly. Elle ne le trouve pas. Elle a dû le perdre en tombant. Peu importe, elle a une excellente mémoire et elle est pratiquement sûre que le numéro qu'elle compose est le bon. Mais personne ne répond. C'est étrange.

Son maigre repas de midi et les heures d'exercice physique qui ont suivi font grogner son estomac. Oubliant qu'elle s'est juré de perdre quatre kilos, elle commande un sandwich à la dinde, des frites, du lait et une grosse tranche de gâteau au chocolat, comme Diane. Rien ne vaut un ventre satisfait pour vous remonter le moral. Elle demande l'addition. Une grosse voix retentit derrière elle.

— J'espère que tu es plus aimable que ta copine.

C'est Charles. Il s'installe sur le tabouret d'à côté. Il est tout en sueur. Elle sent son haleine chaude sur son visage. Il s'accoude au comptoir et repousse une assiette sale.

— Qu'est-ce qu'elle t'a raconté?

— Je ne me rappelle pas au juste. Tu vas venir ce soir?

— Hein?

Elle devra s'excuser auprès de Diane, plus tard, pour les libertés qu'elle va prendre en son nom.

— Nous organisons une soirée chez mon amie. Tu es le bienvenu. Donne une autre chance à Diane. Elle ne semblait pas si fâchée contre toi.

Charles est perplexe, plus que de raison. Il a les yeux dans le vague, comme s'il réfléchissait intensément.

— Pierre ne m'a pas parlé de cette soirée.

— Aucune importance. Moi, je t'en parle.

— Au fait, où est-il?

— Il était ici il y a une demi-heure. Il est retourné skier.

— Qu'est-ce qu'il t'a raconté sur moi?

— Pierre? Pas grand-chose. Que vous travaillez ensemble, que vous habitez au même endroit. Y a-t-il quelque chose que je devrais savoir? dit Lara en se forçant à rire.

— Non.

Il sourit et lui donne une tape dans le dos.

— Préparez-nous une belle soirée, les filles. Si par hasard tu vois Diane, dis-lui que je viens. Il faut que je file.

— Veux-tu que je te donne notre adresse, au cas où tu ne verrais pas Pierre?

— Je sais où c'est. À plus tard.

— Au revoir.

Lara le regarde partir. Comment se fait-il qu'il

sache où se trouve la maison de Nelly? Il n'y est jamais allé.

CHAPITRE 3

Les nuages ont décidé de se lester de leur charge. La tête rejetée en arrière, Lara, bouche ouverte, essaie d'attraper des flocons pour se désaltérer. La température a considérablement baissé et le vent souffle plus fort, mais elle a chaud et transpire. Cela fait un bon moment qu'elle a quitté la station et elle est encore loin d'avoir parcouru la moitié du trajet. Son genou ne la fait même plus souffrir. Elle a l'impression d'avoir de la guimauve à la place.

Elle s'appuie contre un arbre pour se reposer un peu. Une silhouette à ski descend dans sa direction à toute allure. C'est Monique qui visiblement ne contrôle plus sa vitesse et qui va... Dieu merci, elle s'est assise pour s'arrêter. Lara la rejoint en clopinant et lui tend la main.

— Oh, c'est toi, Lara.

— Où sont les autres?

— Je ne sais pas où est Rachel. Je ne l'ai pas vue depuis que vous êtes parties en avant, toutes les deux. Diane est un peu plus loin. Nous nous en retournions à la maison, mais j'ai fait demi-tour pour te chercher. Qu'est-ce que tu t'es fait à la tête?

— D'après le garde, un ours m'a attaquée. Maintenant que tu m'as trouvée, allons-nous-en. Le temps est de plus en plus mauvais.

— Il faudrait que j'aille à la rencontre de Rachel.

— Qu'est-ce qui te dit qu'elle n'est pas déjà à la maison?

— Je ne sais pas.

— Tu retournais à la station pour voir Charles, n'est-ce pas?

— Non...

— Monique, arrête un peu.

— Qu'y a-t-il de mal à vouloir lui parler? Ce que Diane a dit m'est égal. Moi, je trouve que c'est un parfait gentleman.

— Je l'ai vu avant de rentrer. Il va venir ce soir. Tu n'as pas besoin d'aller à la station.

— J'irai quand même.

— Non, tu n'iras pas. Tu n'aurais pas dû quitter Diane. Elle est encore plus maladroite que toi à ski. Si jamais elle tombe et se fait une entorse, il n'y a personne pour l'aider. Viens, rentrons.

— Mais, pourquoi moi?

— Je viens de te l'expliquer.

— J'ai envie de le voir.

— Tu le verras ce soir. Et puis, je me suis fait mal au genou. Je ne me sens pas très solide sur mes jambes. Tu m'accompagnes?

— Bon, d'accord. Dis, tu es vraiment tombée sur un ours?

— Un ours de ta connaissance, répond Lara en riant.

Elles en ont encore pour trois quarts d'heure. Cela prend plus de temps pour monter que pour descendre. Tout à coup, elles voient en travers de la piste un des skis de Diane, à moitié recouvert de neige. Des traces de pas emmêlées conduisent à environ dix mètres au-delà sur la piste puis disparaissent dans une dépression qui a quelque chose d'étrangement familier. Après la dépression, plus de traces.

— Qu'est-ce que cela signifie? murmure Monique.

Elle s'apprête à glisser en avant pour trouver des indices. Lara l'arrête.

— Reste ici.

— Pourquoi?

— Ne brouille pas les traces.

— Tu crois qu'il y a du danger?

— Je ne sais pas quoi penser.

Lara avance précautionneusement pour examiner le terrain près du ski. Il est peut-être cassé et c'est pour cela que Diane l'a laissé là. Ce sont des skis de marque, qui coûtent une fortune et qu'on n'abandonne pas comme ça. Il n'a rien. Et cette dépression bizarre dans la neige lui rappelle le bonhomme de neige. Elle enfonce un doigt dans la neige qui commence à remplir le cratère. C'est dur, de la glace. Elle frotte la neige. La couche de glace est de couleur gris sale.

— Lara? lance Monique qui panique de plus en plus. Qu'est-ce que tu as trouvé?

Comme si le bonhomme de neige avait soudain pris feu.

Avec un seul ski, Diane aurait dû laissé des

traces de pas dans la neige. Il n'y en a pas. On dirait qu'elle s'est évaporée. Qu'a-t-il bien pu lui arriver?

Lara casse deux branches d'un buisson proche et, à l'aide du cordon de sa capuche, les attache en croix à un arbre, à la hauteur de la dépression, pour pouvoir en retrouver l'emplacement exact.

— Où étiez-vous, Diane et toi, quand vous vous êtes séparées?

— Je ne sais pas. Pas loin d'ici. Oh, mon Dieu, tu crois qu'il lui est arrivé quelque chose?

— À ton avis, sommes-nous loin de la maison?

— Nous n'avons qu'à contourner ces arbres, là-bas. Une quinzaine de minutes, vingt, peut-être. Pourquoi Diane a-t-elle laissé son ski dans la neige?

— Ce ne serait pas la première chose bizarre que fait Diane.

Cela rassure Monique. De toute évidence, elle ne saisit pas ce que leur trouvaille a d'illogique. Lara ramasse le ski. Il est froid, naturellement, mais c'est un sombre pressentiment qui la fait frissonner.

— Quittons cet endroit, dit-elle brusquement.

Bientôt, après un coude du chemin, elles voient la maison. De la cheminée s'élève un filet de fumée. Nelly est assise sur les marches de la véranda, la tête dans les mains.

— Vous vous êtes bien amusées? leur demande-t-elle en jetant un coup d'oeil au ski que porte Lara.

— Oui, répond Lara. Rachel est là?

— Oui.

— As-tu vu Diane?

— Oui.

Lara en éprouve un réel soulagement.

— Cela fait longtemps qu'elle est rentrée?

— Vous ne l'avez pas trouvée en chemin? Elle n'est pas ici. Je l'ai aperçue sur la piste, il y a environ une heure, avant que les arbres ne la cachent. Je commençais d'ailleurs à me faire du souci. J'allais chausser mes skis quand je vous ai vues venir. Elle a dû quitter la piste. Ce n'est pas prudent.

— Elle n'a pas quitté la piste, dit Lara, l'estomac noué de nouveau. Voici un de ses skis. Il était en travers de la piste. Un seul.

Nelly saisit l'inquiétude qui perce dans sa voix.

— Elle n'a tout de même pas disparu.

— Le bonhomme de neige a bien disparu, lui, fait Lara tout bas, comme pour elle-même.

Elle décrit rapidement à Nelly les traces relevées près du ski abandonné et la dépression dans la neige.

— Y a-t-il un autre chemin qui rejoint celui-ci? lui demande-t-elle.

— Non, à moins que plusieurs personnes passent au même endroit et finissent par en tracer un. C'est cela. Diane a dû emprunter une autre piste.

— Pourquoi l'aurait-elle fait? s'étonne Monique.

— Pour retourner à la station, peut-être, hasarde Nelly en examinant les nuages sombres.

— Je ne pense pas, murmure Lara.

— Mais si, bien sûr! s'écrie Monique, l'air furibond. Elle savait que j'avais fait demi-tour pour voir Charles et elle a voulu arriver la première. Elle a essayé de trouver un raccourci.

— Et elle a abandonné un de ses skis? fait Lara, irritée. C'est ridicule. D'ailleurs, il n'y avait pas de traces.

— Tu as raison, dit Nelly, songeuse. La seule explication logique est que Diane a quitté la piste bien avant que vous ne trouviez ce ski et que ce ski n'est pas à elle. C'est une marque assez courante.

— Je jurerais que c'est le sien, dit Lara, plus tout à fait sûre, pourtant.

Une question n'en demeure pas moins : comment se fait-il que le propriétaire de ce ski n'ait pas laissé de traces?

— Elle me le vole! gémit Monique. Elle pourrait bien se trouver un autre garçon toute seule!

— Qui est Charles? s'enquiert Nelly en riant. Un de ceux qui vont venir ce soir?

— Oui, répond Lara.

— Quelle chipie, grogne Monique.

— Vous avez trouvé un garçon pour moi? demande Nelly.

— Eh, non. Deux garçons seulement vont venir, dit Lara. À propos, comment te sens-tu?

— Bien. J'avais juste besoin de me reposer un peu.

— Et Céleste?

Nelly hésite. Une émotion indéchiffrable se lit sur son visage.

— Elle est sous la douche.

Cela ne répond pas vraiment à la question.

— Vous vous êtes bien entendues?

— Elle a l'air gentille.

Lara les laisse sur la véranda. Il y a tellement de pièces dans la maison qu'elle ne trouve pas tout de suite la salle de bains où Céleste prend sa douche. Elle frappe doucement puis entre.

— Céleste?

À travers la vapeur, comme si elle avait été soudain assaillie par Jacques l'éventreur, Céleste saute se cacher derrière le rideau de douche et en enveloppe son corps nu. L'eau ne coule plus. Céleste était en train de se sécher. Lara sourit devant tant de pudeur.

— Je ne voulais pas te faire peur.

— Comment c'était, le ski?

— Formidable. Nous avons fait la connaissance de deux garçons. Je te raconterai quand tu auras fini.

— Qu'est-ce que vous avez fait, Nelly et toi?

— Pas grand-chose. Nous avons parlé.

— De quoi?

— De tout et de rien.

Céleste est aussi vague que Nelly.

— Tu la trouves sympathique?

Céleste s'est enroulée dans une serviette. Elle est toujours derrière le rideau. Il est clair qu'elle attend que Lara s'en aille pour finir de se sécher.

— Qui?

— Eh bien, Nelly.

— Elle a l'air gentille.

La même réponse que Nelly.

— Es-tu au courant de la fête de ce soir? demande Lara en sortant. Quand tu te seras habillée, rejoins-moi dans la cuisine. Peut-être qu'à nous deux nous arriverons à préparer quelque chose de mangeable.

— Je suis vraiment contente à l'idée de cette petite soirée, dit Céleste avec enthousiasme.

— Est-ce que Nelly dort dans la chambre d'à côté?

Lara a vu sur un meuble, près de la porte, un pot de crème médicale avec N. Kutroff écrit dessus. Nelly doit avoir encore besoin de traiter des parties greffées.

— Je ne sais pas.

— Sûrement. Moi, j'aurais pris la chambre principale. En tout cas, commence à penser à des recettes.

— J'adore faire la cuisine.

— Tant mieux. Dis, Nelly n'a quitté la maison à aucun moment?

— Non.

— Bon.

Le feu qui crépite dans la cheminée est attirant. Lara s'assied un instant sur les briques autour, pour réchauffer ses muscles fatigués. Nelly a empilé des bûches jusqu'à une bonne hauteur. On l'imaginerait pourtant plus prudente en matière de feu.

— Qu'est-ce qui t'est arrivé? lance Rachel qui fait son apparition.

— Je suis rentrée dans un arbre, répond Lara en prenant soin de garder son sang-froid.

— Tu es rentrée dans un arbre, répète Rachel qui ne la prend pas au sérieux. Que t'es-tu fait à la tête?

Lara avait oublié sa blessure. Il va falloir

qu'elle prenne une douche immédiatement. Étrange que Nelly ne lui ait pas fait de commentaire.

— En fait, je suis tombée. Tu l'ignorais?

Ou bien Rachel est une parfaite menteuse, ou bien elle est innocente.

— Comment cela?

— Je suis tombée dans des buissons. J'ai déchiré ma veste.

— Ma pauvre. Je ne savais pas. J'ai regardé par-dessus mon épaule à un moment donné et tu n'étais plus là. Es-tu blessée?

— Non.

— Tu devrais enlever ce sang de tes cheveux. C'est horrible.

Lara est tentée de raconter comment Pierre est arrivé à son secours. Mais elle décide de laisser Pierre amener lui-même le sujet.

— As-tu vu Diane?

— Nelly et Monique me l'ont déjà demandé, dit Rachel avec un soupir d'impatience. Non. Je ne l'ai pas vue. Je parie qu'elle est retournée à la station voir Charles.

— Qu'as-tu fait pendant tout ce temps?

— Du ski.

— Tout le temps?

— Hé, c'est un interrogatoire? J'étais peut-être avec Pierre, mais cela ne te regarde pas.

— Impossible.

— Et pourquoi, Princesse Lara?

— Pierre n'embrasserait pas deux filles en même temps, n'est-ce pas Princesse Rachel?

Puis elle quitte la pièce avant que Rachel puisse répondre. Mais elle a le temps de voir la mine abasourdie de Rachel. Elle a gagné cette partie. Mais ce n'est pas encore la victoire finale.

Dans la cuisine, avant de faire l'inventaire des provisions, Lara téléphone au bureau des gardes. Le numéro est tapé à la machine sur une feuille de papier, près de l'appareil.

— Administration des parcs. Puis-je vous aider?

— Oui. Je m'appelle Lara. Je suis ici avec des amies pour la fin de semaine. Nous sommes chez les Kutroff, aux Cèdres. Le problème est que... Enfin je ne suis pas sûre que ce soit un problème, mais mon amie a disparu. Son nom est Diane Mercier.

— Comment ça, disparu?

— C'est-à-dire que je ne sais pas où elle est.

— Où et quand l'avez-vous vue pour la dernière fois?

— Elle était avec une autre amie, il y a une heure et demie, deux heures peut-être. Elles se sont séparées sur la piste de fond qui va de la station aux Cèdres. Nous avons trouvé un de ses skis. Enfin, je pense que c'est à elle. Vous comprenez?

— Oui. Vous n'êtes pas certaine que ce soit son ski?

— Pas complètement, dit Lara. Écoutez, peut-être qu'elle va arriver d'un moment à l'autre. Il n'est pas tard. Si elle vous laissait un message, pourriez-vous me le communiquer?

— Certainement. Quel est votre numéro?

Lara le lui donne. C'est bien celui qu'elle a appelé plus tôt, sans obtenir de réponse.

— La tempête est toujours annoncée pour cette nuit, monsieur?

— Oui. Une superbe tempête. Mademoiselle, si vous n'avez plus rien...

— Une dernière chose. Avez-vous un garde dans votre personnel qui ressemble au Colonel Sanders?

— Pardon?

— Un garde qui a l'air d'un colonel et se désigne comme tel. Il nous a dit qu'il allait déplacer nos voitures. Je me demandais si c'était vraiment un de vos employés.

— Je ne vois personne qui corresponde à votre description. Mais je suis nouveau. A-t-il pris vos clefs?

— Oui.

— Alors, vous risquez d'avoir des problèmes. Je vais vérifier. Et je vais lancer régulièrement des appels pour Diane Mercier. Contactez-moi si elle rentre chez vous.

— Qui dois-je demander?

— Roger Cormier. Je serai de service toute la nuit.

— Merci.

Lara repose le combiné. Elle est davantage inquiète pour la voiture de Diane que pour Diane elle-même. De toute façon il n'y a rien qu'elle puisse faire maintenant.

Le repas avant tout. Elle constate avec plaisir que Nelly a tout ce qu'il faut pour confectionner des sandwiches : pain de seigle et de blé, charcuterie, fromage, laitue, beurre, tomates, des sacs de croustilles et des trempettes ainsi que des boissons. Mais pour le dessert, il va falloir mettre la main à la pâte. Elle feuillette un énorme livre de cuisine en se disant qu'elle est incapable de réaliser quelque chose qui ressemble aux magnifiques photos en couleur. C'est alors que Céleste arrive à la rescousse.

— De la charcuterie? fait-elle, étonnée. Et tu dis que ce garçon te plaît?

Elle installe Lara dans un coin pour ne pas l'avoir dans les jambes. Elle gratte des citrons en vue d'une tarte meringuée et prépare deux poulets en les accommodant avec un mélange d'herbes. Lara pensait que tout le monde avait des herbes dans sa cuisine juste pour faire joli.

Céleste lui pose des questions sur Pierre. Lara n'a pas besoin de se faire prier pour laisser parler son coeur.

— Oh, c'est le garçon le plus adorable que j'aie jamais vu...

Les autres sont occupées à donner à la maison un air de fête. Elles n'entrent dans la cuisine que pour picorer un peu de nourriture en passant. Rachel arrive d'un air nonchalant juste au moment où Lara est en train de décrire la voix de Pierre. Elles échangent des regards durs. Lara y est habituée. Elle craint plutôt que Nelly n'apprécie pas que Céleste ait pris le contrôle de la cuisine. Mais Nelly semble l'accepter.

Une fois la tarte dans le four, Lara quitte Céleste pour aller prendre une douche et nettoyer sa blessure. La coupure se rouvre et des gouttes de sang dégoulinent sur son corps nu. La tête lui tourne un peu. Mais il n'est pas question de mettre un pansement. L'eau chaude l'engourdit. Un petit somme lui ferait du bien. Mais avant de s'étendre, elle inspecte la maison. S'attend-elle à trouver Diane dans une cachette secrète, dans les bras de Charles? Pas vraiment, mais son instinct la pousse à chercher.

La maison est immense et il y a beaucoup de pièces vides. Elle entend les poutres geindre sous les assauts du vent. Elle arrive finalement au sous-sol. Il y a une motoneige et l'énorme cuve de propane récemment installée dont a parlé Nelly. Elle la touche. Elle est froide. Lara est effrayée. L'image d'une maison en ruines sous un champignon de fumée lui vient à l'esprit. Pourquoi toujours ces pensées qui tournent autour du feu? Des flammes invisibles semblent sur le point de jaillir dans l'air. Elle repense au bonhomme de neige.

Elle va dans sa chambre. Sous ses paupières closes, des flammes incolores dansent. Un visage se dessine à travers ces flammes, un visage qui devrait appartenir au passé mais qui continue à la hanter, un visage défiguré par une horrible souffrance.

CHAPITRE 4

— Pourquoi est-ce que je dois toujours la garder? se plaint Nelly à sa mère.

— Parce que c'est ta petite soeur, répond madame Kutroff en rangeant la longue Cadillac devant chez Diane. Tu devrais être heureuse d'avoir une petite soeur.

— Je préfèrerais avoir un petit frère qui joue tout seul avec ses camions.

— Bon. Nous sommes arrivées. Vous avez toutes vos affaires?

— Oui, madame Kutroff, dit poliment Lara en pressant son oreiller et sa couverture contre elle.

— Maman, j'ai oublié ma brosse à dents! s'écrie Nicole, terriblement contrariée.

— Idiote, marmonne Nelly.

— Ce n'est pas grave, ma chérie.

Lara est contente que Nicole fasse partie de leur «pyjamade» . Elle est drôle. Bien plus que Nelly.

Rachel et Monique sont déjà à l'intérieur. Monique, sans le faire exprès, a écrasé de la gomme sur le sofa et Diane essaie de la faire partir avant que ses parents qui sont en train de regarder la télévision à l'étage au-dessus ne s'en aperçoivent. Rachel est en train de manger du gâteau et de la crème glacée. Elle engloutit de la nourriture sans jamais grossir. Lara sait que Rachel sera très belle plus tard. Nicole aussi sera très belle.

Comme il fait déjà sombre, elles restent dans la maison et regardent un film grâce au magnétoscope que les parents de Nelly ont apporté plus tôt. Ils sont riches. Nelly et Nicole ont tout.

Après le film, elles se divisent en deux équipes pour jouer aux charades en action. Nicole est imbattable à ce jeu, à tel point que Nelly l'accuse de tricher.

Le père de Diane vient leur annoncer qu'il va au lit. Il leur demande de ne pas faire de bruit et de ne pas se coucher trop tard. Puis il se retire.

— Maintenant, nous allons pouvoir nous amuser pour de vrai, dit Rachel malicieusement.

— Tu as invité un garçon? lui demande Diane, tout excitée.

Lara aime bien les garçons, mais elle ne sait pas trop pourquoi.

— Non, imbécile, réplique Rachel en se dirigeant vers le bar.

Elle prend une bouteille pleine d'un liquide rouge comme sang. Elle en avale une lampée.

— Ne fais pas ça! crie Diane. Mon père va s'en apercevoir. Il va me gronder!

— Chuuut! fait Rachel d'un air sévère. Nous rajouterons de l'eau. Il n'y verra que du feu. C'est mon frère qui m'a appris ce truc.

— Je n'aime pas l'alcool, dit Lara.

— Parce que tu n'as jamais été ivre, fait Rachel

en ouvrant une seconde bouteille dont elle renifle le contenu.

— Ça veut dire quoi «ivre»? interroge Nicole qui a rejoint Rachel et se met à renifler les bouteilles, elle aussi.

— Tu ne sais donc rien? dit Nelly. Quand on est ivre, on a mal à la tête.

— Moi, je n'ai jamais mal à la tête, la contredit Rachel en déposant des glaçons dans les verres qu'elle a alignés. Quand on est ivre, on rit beaucoup.

Lara n'aime pas le goût du brandy que lui a servi Rachel. On dirait de l'essence. Mais elle l'avale d'un trait et en redemande pour ne pas se faire traiter de mauviette. Elles essaient toutes sortes de bouteilles de différentes couleurs. Rachel avait raison, elles rient beaucoup. Nicole vomit une fois, puis ça va mieux.

Lara commence à s'ennuyer et elle se sent étourdie. Elle propose de jouer à autre chose. Personne n'a d'idée.

— J'ai vu un film où des gens s'amusaient à sauter par-dessus des bougies, dit Diane.

— Et? fait Rachel.

— Je ne me rappelle pas la suite, bafouille Diane en finissant son verre. De toute façon, je n'ai pas envie de sauter.

— Jouons au Monopoly, suggère Lara.

— Je n'ai pas l'esprit à ça, dit Diane.

— Des bougies, des bougies, murmure Rachel pour elle-même.

Soudain, ses yeux s'éclairent dans son visage rouge.

—Je sais! Faisons du spiritisme! Diane, j'ai vu que tu avais un oui-ja dans ta chambre. Va le chercher. Nous allons éteindre les lumières et allumer quelques bougies, brûler de l'encens et faire parler les esprits.

Monique et Nelly nettoient la table et la recouvrent d'un drap. Diane apporte le oui-ja. Elle en enlève la poussière. Rachel enfonce de longues bougies blanches dans des chandeliers d'argent et les dispose en cercle, dans un équilibre précaire, autour du oui-ja. Nelly dit à Nicole qu'elle est trop jeune pour faire bouger la planchette. Lara marmonne qu'elle n'a pas envie de participer. Rachel lui tend un papier et un crayon pour prendre des notes. Comme la lumière est faible, Lara s'installe près du bar où est allumée une lampe qui diffuse une lumière rouge. Se sentant rejetée, Nicole s'assied par terre à ses pieds.

Les quatre autres posent leurs doigts sur le oui-ja.

—C'est moi qui vais poser les questions, décide Rachel. Esprit, es-tu là?

Les esprits doivent dormir. Lara pouffe de rire. Rachel lui intime de se taire. Il faut donner aux esprits le temps de se manifester. Enfin, le oui-ja commence à bouger, d'abord en décrivant de petites ellipses, puis il se déplace lentement vers la planchette entre le OUI et le NON.

—Esprit, es-tu là? répète Rachel. Ça y est! N... Écris, Lara. O... U... S... Nous?

—Hé, Rachel! C'est toi qui fait bouger ce truc? demande Diane.

—Non.

— Alors, c'est toi, Monique.

— Non. Ce ne serait pas toi, Nelly?

— C'est nous toutes qui le faisons bouger, dit Rachel. Notre subconscient.

— Je vais demander quelque chose, dit Monique. Est-ce que je vais avoir un B en maths?

La planchette se déplace vers la lettre F. Elles éclatent toutes de rire, sauf Monique.

— C'est toi, tu l'as fait exprès, Diane!

— Mais non!

— De toute façon, je suis sûre que j'aurai au moins un C.

— D'abord, c'est moi qui pose les questions, tranche Rachel. Elle s'éclaircit la gorge. Est-ce que je vais devenir une actrice riche et célèbre plus tard?

La réponse est OUI.

— Tu vois, ça marche, fait-elle observer à Monique.

Puis elle interroge l'esprit sur l'avenir des autres. Diane aura six enfants et sera grassouillette toute sa vie. Monique ira visiter un pays étranger et travaillera dans une usine jusqu'à sa retraite. Lara deviendra journaliste et se mariera quatre fois. Nelly va écrire le plus grand roman à suspense de tous les temps. Il n'y a que Nicole qui ne semble avoir aucun futur. La fillette en est très peinée. Lara lui tapote la tête.

— Bon, soyons sérieuses maintenant, dit Rachel, et tâchons de trouver comment ça fonctionne exactement. Y a-t-il des esprits dans cette pièce?

OUI.

— Combien?

SIX.

— C'est nous, nous sommes six, remarque Lara.

— Sommes-nous les six esprits en question? demande Rachel.

La planchette oscille entre OUI et NON, puis s'arrête sur NON.

— Y a-t-il un esprit malfaisant dans cette pièce? interroge Nelly.

OUI.

— Vraiment? demande Rachel, les sourcils froncés.

OUI.

— Sommes-nous en danger?

OUI... NON...OUI... NON...

— Qui est l'esprit malfaisant? interroge Rachel.

Quelque chose semble la distraire. Elle lit les lettres d'une voix tendue.

— N-I-C-O-L-E. Nicole, murmure Rachel.

Tous les yeux se tournent vers la fillette dont les lèvres et les mains tremblent.

— C'est stupide, fait Diane en s'éloignant du oui-ja.

— Jouons à autre chose, dit Lara.

— Il a vraiment épelé mon nom? veut savoir Nicole, des sanglots dans la voix.

Elle se traîne à genoux vers le oui-ja.

— Oui, mais... hésite Rachel.

— Mais quoi? fait Nelly.

Rachel se gratte la tête.

— Tu sais, c'est juste un jeu, dit-elle à Nicole.

— Repose la question, s'il te plaît.

Des larmes roulent sur les joues de Nicole.

Rachel se tourne vers Nelly qui hausse les épaules. Monique replace ses doigts sur le oui-ja, mais Diane s'écarte de la table.

— Ce n'est pas dangereux, lui dit Rachel.

— Ça pourrait l'être, murmure Lara.

— Qui est l'esprit malfaisant? répète Rachel.

La planchette n'épelle rien. Elle bouge dans tous les sens puis s'immobilise dans la direction de Nicole. Rachel, de nouveau, fronce les sourcils. On dirait qu'elle va protester. Monique pousse un sifflement. Nelly pouffe de rire et Nicole éclate en pleurs.

— Nicole... commence Lara.

— Je n'aime pas ce jeu! crie Nicole.

Elle saute sur ses pieds et frappe la planchette. Hélas, sa main heurte un chandelier qui tombe devant elle, sur le tapis. Les filles ne réagissent pas tout de suite, peut-être parce qu'elles sont un peu ivres. Les yeux de Nicole s'écarquillent d'horreur. L'espace d'un instant, elle a vraiment l'air malfaisant. Un crépitement se fait entendre à ses pieds.

— Le tapis! s'écrie Diane. Que vont dire mes parents?

— Espèce de petite morveuse! dit Nelly, sur le point de gifler Nicole.

— Au nom du ciel, faites quelque chose! crie Rachel en cherchant autour d'elle de quoi étouffer le feu.

Elles se mettent à courir en tous sens, frénétiques, se figeant par moments, horrifiées, et prient intérieurement pour que tout revienne à la normale.

Nelly frappe Nicole au visage pour la forcer à reculer. Diane et Monique ont roulé des magazines et battent le tapis avec. Rachel prend un coussin du sofa, au cas où les magazines ne suffiraient pas. Lara débouche la bouteille de brandy, prête à en arroser les flammes.

Nicole se met soudain à crier. Sa robe a pris feu. Nelly est accroupie aux pieds de sa soeur, la bouche crispée de stupeur et d'épouvante. Diane et Monique se cachent la tête dans leurs mains.

— Roule-toi par terre! crie Rachel en abandonnant le coussin pour tirer la nappe de dessus la table. Le oui-ja et les bougies volent. En même temps, Nelly se relève d'un bond et saisit Nicole par son tricot pour la plaquer au sol. Sans prêter attention aux flammes qui commencent à la brûler, Nelly essaie d'étouffer le feu. Le feu a perdu de son intensité et il se serait sûrement éteint grâce à la nappe que Rachel avait jeté dessus si Lara n'avait pas oublié qu'elle tenait à la main une boisson très alcoolisée et non pas du vin ordinaire. Elle verse tout le contenu de la bouteille sur les jambes de Nicole. Étrangement, le liquide semble produire l'effet attendu et, l'espace d'un instant, le feu disparaît. Nelly cesse même de rouler Nicole et ramène ses bras en arrière. Rachel laisse tomber la nappe. Diane et Monique poussent des soupirs de soulagement. Lara sourit en reniflant sa bouteille vide.

Alors, Nicole explose comme un cocktail molotov.

Nelly se précipite bravement pour retirer sa soeur du brasier. Ses cheveux et son visage dispa-

raissent derrière une fumée noire. Elle ne semble pas souffrir. Monique est toute décomposée. Diane presse ses poings sur ses yeux. Elle a un haut-le-coeur. Les cris de Nicole cessent brusquement. Elle ne bouge plus, elle ne se tord plus de douleur. Lara fixe la bouteille vide, encore dans sa main, et comprend sa terrible erreur.

— Pousse-toi de là! lui ordonne Rachel.

Elle ramasse la nappe et écarte Nelly en la prenant par la nuque. Puis elle recouvre Nicole de la nappe. Le feu s'est éteint. Un nuage de fumée malodorante envahit la pièce. Lara a les yeux embués. Non, il ne peut pas s'agir de Nicole. Elle se secoue. Va-t'en, mauvais rêve.

Le père de Diane, en pyjama, fait son apparition. Il s'agenouille auprès de Nicole. Il cherche son pouls, le long du cou, une des rares parties du corps qui n'ait pas été touchée. Le visage contre le sol, Nicole ne réagit pas.

— Est-ce qu'elle est vivante? interroge Rachel.

— Je ne le pense pas, répond le père de Diane en secouant la tête, très pâle.

— Non, murmure Lara. Ce n'est pas vrai, ce...

— Elle est morte.

Lara ne sait pas qui dit cela. Ses genoux fléchissent et elle tombe à côté de Nicole. Elle voudrait prendre sa place pour réparer ce qu'elle lui a fait.

— Nicole, Nicole, chuchote-t-elle. S'il te plaît, réponds-moi.

Nicole se retourne et la regarde d'un oeil injecté de sang.

— Je vais mourir.

Lara lui presse la main.

— Je ne te laisserai pas mourir.

Elle se jure de tenir sa promesse. Nicole ferme les yeux.

La mère de Diane appelle une ambulance. Rachel pose un sac de glaçons sur les brûlures de Nelly. Nelly est prostrée. Les traits de son visage sont une masse confuse, comme de la cire molle. Des ambulanciers en blouse blanche arrivent. Le temps reprend son cours normal.

Nicole survit une semaine puis on la transfère à une clinique spécialisée dans le traitement des brûlures. Elle y est victime d'une infection. Tout le monde, y compris ses parents, pensent que cela vaut peut-être mieux ainsi. Le maire de la ville vient à son enterrement. Il prononce quelques mots. Heureusement, on n'ouvre pas le cerceuil.

Nelly est opérée immédiatement. On lui fait une série de greffes. Les plasticiens pensent qu'elle retrouvera «à peu près» son visage. Aucune des filles ne lui rend visite à l'hôpital ni ne l'appelle. Nelly a dit à ses parents qu'elle ne voulait pas les revoir. Ses parents, cependant, n'ont blâmé personne ni entrepris aucune poursuite judiciaire. Un mois après l'accident, la famille Kutroff déménage.

Lara porte toute la responsabilité de l'accident, bien que jamais personne ne l'ait accusée ouvertement. Elle essaie de parler à Diane, mais Diane éclate aussitôt en sanglots. Rachel a décidé de voir les choses d'un point de vue philosophique : inutile de s'appesantir sur le passé. Miraculeusement, Monique a complètement effacé l'accident de sa mémoire. Parfois, elle demande même des nouvelles de Nicole. Les parents de Lara s'efforcent d'aider leur fille, mais comme ils n'étaient pas présents lors de l'accident, ils ne peuvent pas comprendre ni alléger sa douleur comme auraient pu le faire ses camarades. Six mois plus tard, elle ne mange pas, elle ressemble à un spectre, elle est incapable d'étudier et elle fait des cauchemars. Ses parents l'emmènent voir un psychologue. Elle prend des médicaments qui la font mieux dormir, mais ils ne la font pas oublier. En fait, elle veut mourir car elle n'a pas tenu sa promesse à Nicole et l'a laissée mourir.

C'est alors que Nelly lui téléphone. Elle veut que Lara lui rende visite.

Lara n'est plus qu'un sac d'os. Elle n'en reçoit pas moins un choc en voyant Nelly. Les morceaux de peau greffée ressortent sur le visage. Lara ne la reconnaît même pas. Nelly semble d'excellente humeur, ce qui est bien plus efficace que des heures de thérapie intensive. Elles parlent longuement. L'accident n'est jamais mentionné mais il envahit toute la conversation. Une fois, Lara veut s'excuser, mais Nelly lui fait clairement comprendre que, pour elle, cela n'a été la faute de personne.

— Maintenant, nous pouvons redevenir amies, Lara.

Elles ne pleurent qu'une seule fois, en songeant combien Nicole aurait été jolie en grandissant.

CHAPITRE 5

— Lara? Est-ce que tu m'entends? Réveille-toi, Lara.

— Assez!

— Lara!

— Mon Dieu. Des cendres sur le coussin.

— Arrête, Lara!

— Nicole, Nicole, murmure Lara.

Mais le visage dans le feu s'évanouit pour faire place à celui de Céleste, anxieuse, assise près d'elle sur le lit. La pièce est dans la pénombre, il y fait chaud. Le tee-shirt de Lara est trempé de sueur et son coeur bat à tout rompre.

— J'étais en train de rêver, bafouille-t-elle.

— À quoi?

— À rien. Quelle heure est-il?

— Bientôt sept heures. J'ai pensé qu'il valait mieux que je te réveille. Comment te sens-tu?

— En pleine forme. Diane est-elle rentrée?

— Non.

— A-t-on appelé de la station?

— Non, personne.

Peut-être Lara se trompe-t-elle du tout au tout. Peut-être Diane est-elle retournée à la station pour éviter Charles, justement. Mais alors, pourquoi n'a-t-elle pas téléphoné?

— J'imagine que les garçons ne sont pas encore arrivés?

— Non. Mais le repas est prêt.

— Je parie que tu as passé ton temps dans la cuisine, dit Lara se sentant une affection soudaine pour Céleste.

Elle se penche vers elle et l'embrasse.

— Je suis contente que tu sois venue, Céleste.

— Vraiment? dit tout bas Céleste, un peu gênée.

— Absolument. J'espère que nous serons toujours amies.

— Je ne sais pas.

— Mais si. Nous nous écrirons et nous nous téléphonerons, car je vais changer d'école.

— Il faut que je te dise quelque chose, Lara.

— Quoi?

— Je n'aime pas cet endroit.

— Pourquoi? À cause de Nelly?

— Non.

— Pourquoi, alors?

— J'aime la neige et les arbres. Nous avons vu un lapin blanc disparaître dans un trou. Mais, je... j'ai peur.

— De quoi?

Céleste se contente de secouer la tête.

— Tu t'ennuies peut-être de chez toi. Appelle ta tante.

— Je l'ai déjà appelée.

— Ah, oui?

— Oui.

Céleste lui prend la main, puis passe à un autre sujet.

— J'aime beaucoup Nelly.

— Bon, dit Lara, persuadée qu'elle a touché juste en mentionnant la tante de Céleste.

Il est évident que Céleste est surprotégée. Ce voyage est peut-être le premier de sa vie.

— Je vais me changer, dit Lara en tirant sur son tee-shirt. Je ne pourrai jamais faire concurrence à Rachel en petite tenue. À moins que tout soit là, précisément. Non, je plaisante!

— Je vais jeter un coup d'oeil aux poulets.

— Je te rejoins dans une seconde. Et si tu veux rentrer chez toi plus tôt que prévu, tu n'as qu'à me le dire.

Céleste quitte la pièce. Lara sort du lit et enfile son pantalon de velours bordeaux, tout neuf, et un chemisier rose vaporeux avec deux petites poches sur le devant pour être décent. Elle se brosse les cheveux et décide d'appeler encore la station à propos de Diane. Plutôt que de descendre, elle parcourt l'étage à la recherche d'un téléphone dans une des chambres. Des voix étouffées lui parviennent de derrière une porte fermée. Il s'agit de Rachel et de Monique. Lara est sur le point de frapper quand elle entend son nom. Naturellement, elle colle son oreille à la porte.

— Cela risque de nous attirer de sérieux ennuis, dit Monique.

— Ce que tu peux être froussarde. Qui nous dénoncerait?

Puis Rachel poursuit d'un ton plus bas, au téléphone, sans aucun doute :

— Ne t'inquiète pas. Tu as tout mon soutien. Diane? Elle est hors course. C'est seulement Lara qui pose un problème. Elle est intelligente, mais elle ne pourra rien découvrir, pas avant qu'il ne soit trop tard, en tout cas. Qui s'imaginerait une telle puissance! Moi-même j'ai du mal à y croire. C'est le destin qui nous a réunies... Mmm, laisse-moi réfléchir... Trouve-moi d'abord ce que je te demande, puis nous verrons... Pas de problème avec la voiture...

Lara a de la difficulté à entendre, car le sang bat à ses tempes. Il faut qu'elle sache avec qui et de quoi parle Rachel. Il doit y avoir un autre appareil, sur la même ligne, dans la chambre principale. Elle s'éloigne sur la pointe des pieds. La chambre principale est dans l'obscurité, aussi Lara est-elle étonnée de trouver Nelly agenouillée par terre, en train de s'exciter contre quelque chose qui semble coincé dans le placard.

— Oh, excuse-moi, dit Lara en retirant la main du commutateur.

Nelly bondit sur ses pieds, les yeux exorbités, et referme rapidement la porte du placard.

— Tu m'as fait peur! Qu'est-ce que tu fais ici? Est-ce que je peux t'aider?

— J'aimerais me servir de ton téléphone.

— Il y en quatre en bas, dit sèchement Nelly.

— C'est que je suis pressée.

Les yeux de Nelly lancent un éclair de colère.

— J'imagine que tu veux être seule.

Lara hoche affirmativement la tête.

— Excuse-moi de m'être emportée, dit Nelly en passant à côté d'elle.

— Merci, Nelly.

Lara ferme la porte. Elle débranche le téléphone, soulève le combiné, puis remet doucement la fiche dans la prise murale. Rachel est toujours en train de jacasser.

— Je n'ai pas lu le livre, mais j'ai beaucoup aimé le film. Oh, c'est là que tu as pris ton idée! Attends, ne dis rien! J'ai l'impression qu'il y a quelqu'un d'autre sur la ligne. Qui est à l'appareil?

Lara pense à cent à l'heure. Si elle raccroche, Rachel soupçonnera qu'on a entendu toute sa conversation et renoncera à ses plans. Or, Lara veut les connaître. Le mieux est de faire comme si elle venait juste de prendre le combiné pour appeler. Elle commence à composer un numéro. Les signaux aigus vont...

— Arrête! hurle Rachel.

— Tu es en train de te servir du téléphone? fait Lara d'un ton parfaitement innocent.

— Non, je suis en train de le nettoyer, c'est pour cela que je me le suis mis à l'oreille. Veux-tu, s'il te plaît, raccrocher et me laisser finir?

— Tu en as pour longtemps?

Lara veut prolonger la conversation. Un seul mot de l'autre interlocuteur lui en apprendrait beaucoup.

— Non.

— Combien?

— Six minutes et vingt-trois secondes. Comment veux-tu que je le sache, Lara? Libère la ligne!

— Nelly ne veut pas que nous fassions des

appels interurbains, ment-elle.

— Ce n'est pas un interurbain.

— Tu connais quelqu'un ici?

— Cela ne te regarde pas!

— Allô, vous, dit Lara d'une voix sexy, est-ce que je vous connais?

— Lara, j'ai déjà compté jusqu'à dix. Je ne compterai pas jusqu'à vingt. Raccroche immédiatement!

— Ce n'est pas la peine de te fâcher, dit Lara, cédant enfin.

Rachel est en train de mijoter un sale coup et elle a un complice masculin. Mais qui? Et quelles sont exactement leurs intentions? Si Monique est dans le secret, il ne peut pas s'agir de quelque chose de vraiment grave. Mais le fait qu'elles aient dit que Diane était hors course ne laisse présager rien de bon, car elle a effectivement disparu. Lara est tentée de demander des explications à Rachel, mais ses soupçons lui semblent si ridicules qu'elle y renonce.

Elle quitte la pièce. Nelly est juste derrière la porte.

— Je venais chercher mon tricot, explique-t-elle, embarrassée.

— Je vois.

— Tu as fait ton appel?

— Non, Rachel est au téléphone.

— Les téléphones du rez-de-chaussée sont sur une autre ligne.

— Ah, oui? Le numéro que tu m'as donné, c'est celui d'en haut ou d'en bas?

— D'en bas. Pourquoi?

— J'ai appelé de la station dans l'après-midi et personne n'a répondu.

— Mais, nous nous sommes parlé. Rappelle-toi.

— Non, j'ai téléphoné une deuxième fois. Je n'avais plus le papier avec ton numéro, mais je suis sûre que c'était le bon.

— Êtes-vous sorties, Céleste et toi?

— Sur la véranda, seulement. Nous aurions entendu la sonnerie. Tu as dû te tromper de numéro.

— Et si vous vous étiez trouvées au sous-sol?

— Je n'y descends jamais.

— Moi, j'y suis allée.

— Tu y es allée! Pourquoi?

— Par curiosité. C'est dangereux?

— Mon père n'aime pas trop qu'on s'y promène, à cause de la cuve de propane.

Si Nelly a fait nettoyer le sous-sol à Rachel et Monique, c'est que ce n'est pas si dangereux que ça.

— Je n'irai plus. Alors, finalement tu dors dans la chambre principale? Je croyais que tu dormais dans la chambre à côté de la salle de bains.

— Pourquoi?

— Je ne me rappelle pas, dit Lara, en toute franchise.

Lara passe l'heure suivante à confectionner et appliquer quatre glaçages différents sur le gâteau aux carottes de Céleste. Elle trace une carotte lamentable et deux lapins flous qui la grignotent.

Diane ne s'est toujours pas montrée et le téléphone de l'administration des parcs sonne occupé. La tempête qui s'est levée mériterait davantage le nom de blizzard polaire. Lara admet avec un sentiment de culpabilité qu'elle souhaite plus voir apparaître Pierre que Diane.

— Ils arrivent! s'écrie Monique en se précipitant dans la cuisine.

— Diane est-elle avec eux? s'enquiert Lara, la gorge sèche, car elle vient de s'apercevoir qu'elle a oublié de se maquiller.

— Bien sûr que non, réplique Monique, la mine renfrognée.

— Je vais finir de mettre tout en ordre ici et je vous rejoins dans une minute, dit Céleste.

— Enlève cette gomme de ta bouche, dit Lara à Monique tandis qu'elles se dirigent vers le salon. On dirait une vache.

— Merci, c'est gentil, fait Monique en avalant sa gomme.

Charles est debout, les mains dans les poches, style macho, en conversation avec Nelly. Pierre est assis sur les briques, près du foyer. Il a relevé les manches de son tricot gris, laissant voir ainsi des bras musclés et une peau brune. Rachel, éblouissante avec son pantalon blanc, aux jambes larges, et son tricot noir à col roulé, est assise à ses côtés, riant à tout ce qu'il dit. Elle ne perd vraiment pas de temps.

— Bonsoir, dit gentiment Lara.

Rachel tourne son regard vers une fenêtre. Pierre se lève. Tous ses gestes ont une certaine classe. Il lui presse les épaules. Cela ne vaut pas un baiser, mais c'est mieux que rien.

— Bonsoir, Lara. Finalement, nous nous retrouvons, dit-il avec un sourire chaleureux et une pointe d'amusement.

— Avez-vous eu des difficultés à cause de la tempête?

— Pas suffisamment pour nous faire renoncer à cette soirée.

— Nous serons peut-être obligés de passer la nuit ici, dit Charles en riant. Trop fort d'ailleurs.

— C'est tout à fait impossible, déclare Nelly d'un ton catégorique.

— Ça sent bon, remarque Pierre pour faire diversion. Heureusement que nous n'avons rien pris à la cafétéria, Lara.

Rachel roule sa langue dans sa bouche. Elle comprend que Pierre et Lara se sont revus. Lara est heureuse qu'il l'ait mentionné.

— C'est notre amie Céleste qui nous a préparé un repas de fête. La voici qui vient.

Comme une biche timide, Céleste se glisse dans la pièce. Pierre et Charles la saluent. Céleste esquisse simplement un sourire. Lara n'apprécie pas la façon dont Charles reluque Céleste. Décidément, ce type est un mufle.

— On dirait que nous sommes dépassés en nombre, dit Charles à Pierre, avec un grognement.

— Où est Diane? demande Pierre.

— Nous ne savons pas, répond Lara. Vous ne l'avez pas vue?

— Non.

— Elle finira bien par se montrer, dit Rachel, en déplaçant les bûches à l'aide du tisonnier. Nelly, pourrions-nous souper ici? C'est tellement plus agréable que la salle à manger. J'aime le feu.

— Cela m'est égal, répond Nelly d'un ton cassant, peut-être à cause de cette allusion au feu.

Céleste et Nelly font le service. Elles vont et viennent de la cuisine au salon. Lara a l'impression que, ce faisant, elles s'arrangent pour s'éviter.

Le souper est un chef-d'oeuvre : poulets assaisonnés au romarin, pommes de terre au four garnies de crème et de beurre, deux plats de légumes recouverts de fromage suisse fondu, riz sauvage avec des poivrons émincés et des épices, deux bouteilles de vin rouge de qualité, tarte meringuée et, bien sûr, l'artistique gâteau aux carottes. Ils mangent en cercle, Lara à droite de Pierre, et Rachel, à gauche.

Monique, sans vergogne, bave d'admiration devant Charles qui l'ignore car Céleste — qui n'a absolument rien de commun avec lui — monopolise toute son attention. Pierre se partage entre Rachel et Lara et, comme à la cafétéria, se contente d'écouter. Il s'aperçoit néanmoins que Nelly est en retrait et cherche à la faire participer à leurs échanges. Nelly leur raconte que la maison, autrefois, appartenait à un mafioso qui s'en servait pour y emmagasiner des quantités énormes de cocaïne et d'héroïne, jusqu'à ce qu'un jour il disparaisse mystérieusement. Au cours de l'enquête qui a suivi, la police a découvert de faibles traces d'os humains dans la cheminée. Peut-être à cause du vin, Nelly donne un luxe de détails dont Lara se serait passée. Et Nelly ne s'est même pas donné la peine de dissimuler ses cicatrices sous une couche de maquillage.

— Ça me rappelle quand j'étais en Allemagne, dit Charles, en vidant la deuxième bouteille dans son verre.

Il a bu à lui tout seul plus que tous les autres réunis.

— Tu es allé en Allemagne! dit Monique avec un enthousiasme tel que même Céleste sursaute.

Charles prend avec sa main un morceau du gâteau à moitié entamé et le fourre dans sa bouche.

— J'y suis resté deux ans, dit-il en mâchant. J'adore la bière allemande et les Allemandes. Ce que tu as dit à propos de ce type qu'on aurait fait cuire à la broche dans ta cheminée me rappelle la fois où on a bombardé au napalm, par accident, quatre soldats allemands.

— Tu veux dire que vous les avez tués? l'interroge Lara.

Elle en a l'estomac retourné. Sa question met Charles en colère.

— *Par accident*, très chère. Nous étions dans un hélicoptère, pas très loin du mur, quand le moteur a eu des ratés. L'hélicoptère s'est mis à tourner en rond comme une toupie. J'ai jeté le napalm que nous transportions parce que je pensais que nous allions nous écraser. Mais je ne l'ai pas fait exprès! J'ai dit au colonel que c'était un accident. Il n'a rien voulu entendre. Ça leur a pris un mois pour pouvoir identifier les soldats, ajoute-t-il en riant. Vous auriez dû voir ces flammes. Encore mieux qu'un feu de la Saint-Jean.

Charles remarque l'expression dégoûtée de

Lara et il baisse les yeux, pas très fier de lui.

— Je croyais que nous allions nous amuser, dit-il. Où est la musique?

— Nous pourrions jouer à quelque chose, propose Rachel.

— J'en suis, approuve Pierre.

— Vraiment? fait Rachel, espiègle, en lui envoyant un coup de coude. Tu connais le strip-poker?

Ce n'est pas la timidité qui étouffe Rachel. Et Pierre ne fait rien pour la décourager.

— Nous pourrions jouer aux charades en action, suggère Céleste qui semble revenir à la vie.

— Comment on y joue, jeune fille? demande Charles.

— Tu dois deviner un mot ou une phrase à partir de gestes.

— On a le droit d'écrire?

— Si tu sais écrire, dit Pierre. Les charades, ça me va.

— Commencez sans moi, dit Lara en se levant. Il faut que je téléphone.

— Nous ne serons plus que sept, observe Rachel. Les équipes ne seront pas égales.

— Je veux être dans l'équipe de Lara, dit Pierre.

Lara en ressent un frisson de joie. Pour un peu, elle se rassiérait.

— Moi aussi, dit Céleste.

— Eh bien, quel succès, fait Rachel.

— Je fais équipe avec toi, Rachel, dit Nelly. Prenons Monique et Charles avec nous.

Lara éprouve une sensation de déjà vu. À moins que ce ne soit un souvenir. Mais, pourquoi maintenant? Elle a joué aux charades bien souvent *depuis*.

— Je reviens tout de suite, dit-elle.

Elle va à la chambre principale.

— Administration, bonsoir.

— Roger Cormier?

— Lui-même.

— Bonsoir, je vous ai appelé plus tôt au sujet de Diane Mercier.

— Je me rappelle votre voix. Je regrette, je n'ai pas vu votre amie. Entreprendre des recherches avec cette tempête n'est pas une mince affaire. Une raison quelconque l'empêcherait-elle de retourner chez vous?

— En quelque sorte. Nous avons organisé une petite soirée et il y a un garçon avec lequel elle a eu une dispute aujourd'hui.

— Sait-elle que ce garçon est avec vous?

— Oui. Mais je ne m'explique pas qu'elle n'ait pas téléphoné.

— J'ai vérifié les noms des personnes descendues à l'hôtel. Le sien n'y figure pas. Mais, des autobus partent d'ici toutes les heures avant vingt heures. Peut-être est-elle tout simplement rentrée chez elle. Avez-vous appelé sa famille?

— Je n'y ai pas pensé. Je vais le faire.

— Si vous obtenez une réponse négative, nous entreprendrons des recherches, si vous le voulez. C'est à vous de décider. Vous connaissez votre amie.

— Puis-je vous rappeler dans une heure ou deux?

— Je serai à mon poste toute la nuit.

— Merci. Oh, avez-vous obtenu des renseignements au sujet du Colonel?

— Je n'ai pas eu l'occasion d'interroger mon supérieur.

— Eh bien, je vous rappellerai plus tard.

— Entendu.

Les parents de Diane ne répondent pas. Lara se rappelle au bout de vingt sonneries qu'ils sont partis pour la fin de semaine, eux aussi.

Elle vient à peine de reposer le combiné que le téléphone sonne. «Ce doit être pour Nelly», se dit-elle. À sa grande surprise, il s'agit de la tante de Céleste.

— Lara, ma chérie, comment se déroule votre séjour?

— Bien.

Inutile de parler de Diane tant qu'elle n'en sait pas davantage.

— Voulez-vous que j'aille chercher Céleste? Elle est en bas.

— Ne la dérange pas. Cela la gênerait de savoir que je téléphone. Mais, j'étais assise, toute seule et la maison est bien vide sans elle. Comment va-t-elle?

— Très bien. Elle ne vous a pas appelée dans l'après-midi?

— Non.

— En êtes-vous sûre?

— Je ne lui ai pas parlé de la journée, mon petit.

«Pourquoi Céleste a-t-elle menti?» se demande Lara. Céleste avait voulu ajouter autre chose. Peut-être ne s'ennuyait-elle pas seulement de chez elle. Peut-être y avait-il autre chose.

— Nous nous amusons bien, continue Lara. Céleste a préparé un souper du tonnerre. Nous allons maintenant faire quelques jeux de société.

— Bon, je vais te laisser rejoindre tes amis. Ne dis pas à Céleste que j'ai appelé. Elle ne voulait pas que je le fasse.

— Je comprends.

La tante de Céleste semble bien pressée de raccrocher. Elles se disent au revoir. Rachel est sur le pas de la porte.

— Qui était-ce? demande-t-elle.

— La tante de Céleste.

— Que voulait-elle?

— S'assurer que tout allait bien. Elle ne veut pas que Céleste sache qu'elle a téléphoné.

Rachel se laisse choir sur le bout d'une chaise. Une bourrasque de neige fait trembler la fenêtre de la chambre. À l'extérieur, c'est le noir complet.

— Je m'interroge parfois au sujet de Céleste, dit Rachel.

— Comment cela?

— Ne te fâche pas. Il y a quelque chose en elle qui m'intrigue.

— Elle vaut mieux que n'importe laquelle d'entre nous.

— C'est une gentille fille. Mais, toi qui l'as connue dès le deuxième jour d'école, tu ne sais rien d'elle.

Lara, en la voyant assise ainsi en face d'elle, comme cela leur arrive si souvent, ne peut croire que Rachel puisse lui vouloir du mal. Elle a presque envie de lui demander qui était son interlocuteur et de quoi ils ont parlé. Presque.

— Rachel, avant de redescendre, je voudrais te parler. D'abord, de Diane. Ne me dis pas qu'elle ne devrait plus tarder.

— Bon, imaginons le pire. Qu'a-t-il bien pu lui arriver?

— Elle a pris un raccourci pour se rendre à la station et elle s'est cassé la jambe.

— Mais tu n'as vu aucune trace en dehors de la piste.

— Je n'en ai pas cherché ailleurs que là où nous avons trouvé le ski.

— Mais, s'il y en avait eu, tu les aurais remarquées. Nelly a peut-être raison à propos de ce ski. Il est probablement à quelqu'un d'autre qui l'a laissé là.

— Mais, une personne qui se retrouve avec un seul ski laisse des empreintes dans la neige qu'on remarque forcément.

— Euh... cette personne avait la jambe cassée et une autre qui l'accompagnait l'a portée sur son dos jusqu'à la station, en s'arrangeant pour skier dans nos traces. Je ne suis pas Sherlock Holmes, mais je soupçonne Diane d'avoir continué tout droit pour dépasser la maison et en faire le tour par derrière.

— Nelly l'aurait vue.

— Pas obligatoirement.

— Elle était sur la véranda.

— Tout le temps?

— Écoute. Le fait qu'elle veuille éviter Charles explique parfaitement sa disparition. Tu... tu es en train de faire une montagne de... d'une boule de neige.

— Il y a un autre problème, Rachel. Ce type qui a pris nos clefs de voiture, le Colonel, ce n'est peut-être pas un vrai garde.

Elle rapporte brièvement à Rachel ses entretiens avec Roger Cormier. De nouveau, Rachel minimise la gravité de la situation.

— Si c'était un voleur de voitures, il ne tournerait pas autour de la station, car il courrait le risque de se faire repérer.

— Tu n'es pas inquiète pour ta voiture?

— Mon père paie des assurances pour ça.

— Je vois. Et je suppose que le bonhomme de neige qui a fondu comme par enchantement ne hante pas non plus ton esprit.

— Oh! Je n'y pensais plus. Mais quelle mouche t'a piquée? Allez, viens, retournons auprès des autres. Qu'allons-nous faire après les charades? C'est cela qui devrait t'inquiéter.

— Jouer avec un oui-ja, murmure Lara dont le cauchemar revient à la mémoire.

— Avec Nelly? Franchement Lara, ce ne serait pas malin.

— Excuse-moi. Tu n'y repenses jamais, n'est-ce pas?

— À quoi cela servirait-il?

— Rachel, je veux que tu y penses. Rappelle-toi lorsque tu as demandé s'il y avait un esprit malfaisant. Quelque chose semblait t'intriguer. Tu as froncé les sourcils. Pourquoi?

— Mais parce que c'était le nom de Nicole qui était épelé!

— Non, il y avait autre chose. Essaie de te

rappeler.

— Tu crois que le moment est bien choisi?

— S'il te plaît.

Rachel va répliquer mais elle se reprend soudain. Ses yeux semblent voir dans le passé.

— Oui, il y avait autre chose.

— Quoi?

— La planchette, elle... Je n'arrive pas à me rappeler.

— Fais un effort.

— Mais nous étions gamines! C'est trop loin. C'est du passé. Allons plutôt jouer aux charades.

C'est Monique qui va commencer. Lara lui suggère de mimer *Le retour du Jedi*. Nelly compte le temps qui s'écoule, montre en main. Monique ne reste en scène que quarante secondes. C'était facile, même pour une mâcheuse de gomme. Ensuite, vient le tour de Céleste. Elle doit mimer *Roméo et Juliette*. Pierre devine en vingt secondes. Tout le monde s'amuse, sauf Charles qui s'escrime sur son Bacardi et semble complètement parti. Quand vient son tour de deviner, cela lui prend une éternité.

Au bout d'une heure, l'équipe de Lara est en train de gagner avec une bonne avance. Rachel demande qu'on refasse les équipes. Elle veut Céleste dans la sienne. Mais c'est elle qui prend la place de Céleste dans l'équipe de Nelly. Lara s'interroge quant à ses raisons car elle trouve cela parfaitement illogique. Il se produit alors quelque chose de remarquable : Céleste devine immanquablement tout ce que mime Nelly, et vice versa.

Lara jurerait que l'une des deux est télépathe. Charles continue à gâcher leur score et ne lâche pas Céleste des yeux. Il lui touche de temps en temps le bras, la jambe. Elle retire poliment sa main. Il commence à s'énerver. Monique fait mine de ne s'apercevoir de rien. Lara est en train de réfléchir à un moyen pour faire comprendre à Charles qu'il devrait arrêter quand, justement, il pince Céleste. Elle pousse un cri de douleur.

Nelly bondit sur ses pieds.

— Espèce de gros dégoûtant! explose-t-elle. Où te crois-tu? Sors de chez moi immédiatement!

— Nelly, dit faiblement Céleste.

— Hein? fait Charles dans le vague.

— Disparais de ma vue! rugit Nelly.

— Laisse-le tranquille! crie Monique en se levant. Il faut toujours que tu donnes des ordres à tout le monde!

— Comment? fait Nelly, stupéfaite. Comment?

— Il n'a rien fait de mal! hurle Monique.

— C'est toi qui amène ce pauvre type, mais c'est après Céleste qu'il en a et tu le défends!

— Tu n'aimes personne! dit Monique, sans réfléchir.

«Pauvre Monique, se dit Lara. Nelly est probablement en train de lui rendre un service, en fait. Mais il n'y a pas de raison que Nelly s'emporte ainsi.»

— Je ne te permets pas de me traiter de «pauvre type», dit Charles en colère.

Il a du mal à se tenir debout.

— Vraiment, pauvre type? réplique Nelly.

— Ça suffit! crie Monique.

— Face de sorcière, dit Charles.

Pierre se décide à intervenir. Mais trop tard. Nelly envoie un coup dans le tibia de Charles. Elle porte des bottes de cuir à bout renforcé. Charles mugit de douleur en jurant de se venger. Il ne lâche pas son verre de rhum, cependant. Nelly le lui arrache. Lara s'attend à ce qu'elle le lance à la figure de Charles. Mais les effluves du rhum semblent lui suggérer autre chose. Monique est là, dos au feu, qui la sépare de Charles. Délibérément, en esquissant un rire, Nelly jette le rhum sur elle. Le liquide trempe le bras gauche de Monique.

— Nooon! crie Céleste, horrifiée.

— Ma blouse neuve! gémit Monique.

— Tu vas me le payer, grogne Charles en s'adressant à Nelly. On dirait un taureau prêt à charger.

— Arrête! lui intime Pierre en se plaçant devant Nelly.

Charles, incapable de se contrôler, continue néanmoins sur sa lancée. Pierre l'intercepte sans peine. Comme Charles se débat en jurant, le regard de Pierre s'assombrit et il lui envoie un coup de poing à la mâchoire. Charles s'affale comme un sac de pommes de terre. Monique, naturellement, veut le retenir. Mais Charles ne pèse pas loin de quatre-vingt-dix kilos. Monique tombe elle aussi, mais près du feu.

Trop près du feu.

Lara ne saisit pas tout de suite la gravité de la situation. Elle se dit simplement que la soirée est gâchée. Puis elle remarque sur les briques du foyer la manche imbibée de rhum de Monique. Monique est en train de regarder fixement son bras, intriguée. Au-dessus, l'air frémit comme un mirage dans le désert. Lara se rappelle comment, dans un cours de chimie, de l'alcool versé dans une assiette avait brûlé sans faire de flammes.

— Roule-toi par terre! crie Rachel.

Ses mots sont comme un écho du passé.

Monique se met à hurler. Céleste se précipite hors de la pièce. Pierre enlève son sweat-shirt pour en envelopper le bras de Monique. Mais Monique se lance dans une danse frénétique et il n'arrive pas à la saisir. Lara, sans réfléchir, prend la bouteille de liqueur qui gît à côté de Charles. Son regard rencontre celui de Nelly. Nelly secoue négativement la tête, doucement. Lara lâche la bouteille.

— Mais, attrapez-la donc! dit Rachel, un extincteur dans les mains, qu'elle a déniché Dieu sait où.

Pierre plonge et plaque Monique aux genoux. Rachel envoie un jet bien dirigé. Une couche blanche recouvre le bras de Monique et un côté du visage de Pierre. Le feu est éteint. Pierre soulève Monique dans ses bras et la dépose sur le sofa. Après un rapide examen du bras brûlé, il déchire la manche noircie. Lara ferme les yeux, s'imaginant un os consumé et du sang qui suinte.

— Bah, fait Pierre. Ce n'est pas si grave, Monique. Ton bras est en bon état. Ce n'est guère pire qu'un mauvais coup de soleil. Ça va aller.

Monique continue à haleter de façon spasmodique, en pleurant tout bas. Lara risque un regard. Pierre est en train de frotter le front de Monique en lui prodiguant des paroles de réconfort, pour l'aider à surmonter le choc. Des cloques sont déjà en train de gonfler sur le bras rouge de Monique. Elle va avoir très mal, mais comparé à ce qu'a souffert Nicole, ce n'est...

Attention, Lara.

Qu'est-ce que c'est? Lara a l'impression que Céleste lui chuchotait à l'oreille. Mais elle se retourne et ne la voit pas.

Nelly a ramassé le tisonnier dans le foyer. L'extrémité rougeoie. Elle le pointe en direction de Charles.

— Est-ce que je me fais bien comprendre? lui dit-elle d'un ton glacial.

— Ce n'est pas ma faute, fait Charles, soudainement dégrisé.

Nelly approche le métal à cinq centimètres de son nez.

— Déguerpis en vitesse! dit Nelly.

— C'est toi qui aurais dû avoir le bras brûlé, espèce de sorcière, marmonne-t-il.

Puis il bat en retraite. Les autres entendent la porte du vestiaire s'ouvrir et celle de l'entrée claquer. Lara s'assied sur le sofa, près de Pierre.

— Danse comme ça au prochain bal de l'école, Monique, dit-elle, et tu vas gagner le trophée.

— Michael Jackson danse mieux que moi, réplique Monique qui ne saisit pas la plaisanterie. Oooh! J'ai mal au dos!

— C'est bon signe, dit Pierre en s'enlevant la mousse blanche du visage. Cela prouve que la brûlure n'a pas atteint les nerfs. On croirait que tu t'es endormie sous une lampe à rayons ultra-violets. Vous, les filles, vous feriez n'importe quoi pour bronzer, au risque de vous brûler.

Monique sourit.

— Hé, Rachel, viens t'asseoir un peu à côté de moi, dit-elle.

— Certainement, accepte Rachel, pas le moins du monde énervée, semble-t-il.

Pierre emmène Lara à la cuisine.

— Je me sens responsable de ce qui s'est passé, lui confie-t-il. Je ne devais pas avoir toute ma tête pour frapper ce type, alors que Monique était derrière lui, tout près du feu.

Il est plus contrarié qu'il ne le laissait paraître dans le salon.

— Si tu n'avais pas été là, Pierre...

— Charles n'aurait pas fait tomber Monique et elle ne se serait pas brûlée. Il soupire. Téléphone à la station pour qu'on nous envoie un médecin.

Roger Cormier est toujours à son poste.

— Diane Mercier a-t-elle réapparu? s'enquiert-il.

Lara lui explique qu'il y a plus urgent. Il lui demande de rester en ligne. Il revient au bout de dix minutes et lui annonce qu'il va lui passer le docteur Kaminski.

— En quoi puis-je vous aider? demande le médecin.

— Une de nos amies s'est brulée au bras. Pouvez-vous venir? Nous sommes aux Cèdres, chez les Kutroff.

— Sa brûlure est-elle sérieuse?

— Elle a très mal.

Le docteur Kaminski échange quelques paroles inaudibles avec Roger Cormier. Celui-ci l'informe de la distance à parcourir. La tempête fait toujours rage. Lara croit entendre le médecin grommeler.

— Expliquez-moi en détail comment c'est arrivé, dit-il finalement. Décrivez-moi la blessure et l'état d'esprit de la personne.

Lara raconte comment la manche de Monique a été «accidentellement» arrosée de rhum, elle décrit les cloques qui tapissent tout le côté interne du bras de Monique. Pour ce qui est de l'état d'esprit, c'est plus difficile car, déjà en temps normal, Monique n'en montre guère.

— Je pense qu'il s'agit d'une brûlure au second degré, dit le médecin. J'imagine que vous avez ôté la manche de dessus la blessure.

— Oui.

Nelly entre à ce moment dans la cuisine.

— Comment va-t-elle? lui demande Pierre.

— Elle a mal.

— Élevez-lui légèrement les jambes, conseille le docteur Kaminski. De même que le bras blessé. Avez-vous une trousse de secours, avec de la gaze strérile.

Lara interroge Nelly qui hoche affirmativement la tête.

— Oui, nous en avons, répond Lara. Mais vous ne pouvez vraiment pas venir?

— Tout ce que je pourrais faire pour l'instant, vous le pouvez aussi. Enveloppez son bras dans de la gaze. Maintenez-la au chaud. Toutes les quinze minutes, donnez-lui à boire une demi-cuil-lerée à café de sel et une autre de bicarbonate de soude dilués dans de l'eau. Le principal, c'est de veiller à ce qu'elle ne retombe pas en état de choc. D'après ce que vous m'avez dit, il ne semble pas y avoir de danger de ce côté. Faites-lui avaler aussi des jus de fruits, si cela ne lui donne pas envie de vomir.

— J'ai de la codéine, dit Nelly en tendant un tube à Lara. Demande-lui si ce serait bon pour Monique.

— Pouvons-nous lui donner de ces comprimés contre la douleur, interroge Lara en lisant toutes les indications et le numéro sur l'étiquette.

— Si, au bout d'une heure, elle ne montre pas de signe de dépression, vous pouvez lui en administrer deux avec beaucoup d'eau. Mais pas avant une heure. Appelez-moi immédiatement si son état empire. Sinon, appelez-moi demain.

Lara remercie le médecin puis raccroche et répète aux autres ses recommandations.

— Confiez-la moi, dit Nelly. J'ai beaucoup d'expérience en matière de pansements.

Lara n'en doute pas.

— Où est Céleste? demande-t-elle.

— Dans sa chambre, répond Nelly. Il vaudrait mieux la laisser tranquille pour l'instant.

— Je comprends qu'elle soit bouleversée, fait Pierre.

— N'importe qui le serait, dit Nelly, avec amertume, en quittant la cuisine.

Lara éclate en pleurs sous le coup de l'émotion qui se décide seulement à se manifester. Elle est obligée de s'asseoir. Elle a honte. Pierre s'assied à côté d'elle et attend. C'est ce qu'il y a de mieux à faire dans ces cas-là.

— Tout cela ressemblait tellement à ce qui s'est passé la dernière fois, quand Nicole est morte. J'ai du mal à croire que ce ne soit qu'une coïncidence.

— Qui était Nicole?

Cette question de Pierre est la clef qui ouvre la boîte de Pandore de Lara. Elle raconte d'une traite comment elle a versé de l'alcool sur Nicole, revient de temps en temps au présent pour relier certaines circonstances, et parle du bonhomme de neige fondu, de la conversation sinistre de Rachel au téléphone, du mystérieux Colonel, du passé douteux de Charles, de l'inexplicable et unique ski trouvé, de la disparition de Diane.

Son récit et ses soupçons doivent être incohérents car Pierre l'interrompt finalement en disant :

— La seule question qu'il faille se poser c'est : Où est Diane?

— Et les choses que Rachel a dites?

Pierre jette un coup d'oeil vers la porte, pour s'assurer que personne n'écoute. Des flocons de neige bombardent sans bruit la fenêtre. Lara, appuyée contre le mur, sent le froid dans son dos.

— Combien de fois, dans une conversation, as-tu dit, sans réfléchir : «Je la hais» ou «Je voudrais le voir disparaître»? Rachel m'apparaît comme une jeune fille très séduisante et habile, mais pas comme une meurtrière.

— Charles était-il au téléphone, ce soir, aux alentours de sept heures?

— Je ne sais pas. Je faisais un somme.
— Donc, il aurait pu téléphoner à Rachel.
— Lara.
— Je sais, je sais, bafouille-t-elle en guise d'excuse, pressant ses mains sur ses yeux. Ce n'est pas ce que je voulais dire.
Comment expliquer un sentiment, une intuition à soi-même et à autrui?
— Je comprends. Tu es bouleversée à cause de ce qui est arrivé à Monique, inquiète au sujet de Diane.
— Intriguée aussi par le bonhomme de neige! lance-t-elle.
Pierre la regarde avec des yeux bienveillants, ce qui n'est guère propice à la naissance d'une idylle.
— Bon, bon, Pierre, tous ces faits n'ont rien à voir entre eux. Mais ils ont quelque chose en commun.
— Quoi?
— Le feu!
— Lara.
— Écoute, le bonhomme de neige était à l'ombre. Il n'a pas pu fondre. Et là où nous avons trouvé le ski de Diane, le sol semblait avoir explosé sous l'effet de la chaleur, puis d'avoir gelé. Et quand Monique s'est brûlée à l'instant, son bras n'a même pas touché le feu.
— Ce n'était pas nécessaire. Les vapeurs...
— Et quand Nicole a explosé, j'aurais pu juré que c'était du vin que j'avais versé sur elle, et pas du brandy. Le vin ne lui aurait pas fait cela.
— Qu'est-ce qu'une gamine de neuf ans sait

des différents types d'alcool? Rien! Tu viens de me raconter combien tu t'es sentie coupable et combien tu as souffert après l'accident. Ces émotions refont surface à présent, c'est tout.

— Non! s'écrie Lara en tapant sur la table, en faisant sauter la salière et le poivrier. Il y a quelque chose derrière tout cela!

— Quoi?

— Je te l'ai dit. Le feu! Pierre, as-tu déjà entendu parler de la pyrokinétique?

— De la combustion humaine instantanée? J'ai lu quelque part des articles sur des gens qu'on aurait fait monter dans des vaisseaux venus de la galaxie d'Andromède et à qui on aurait enlevé les amygdales.

— Tu ne crois pas à ces choses?

— Je suis sceptique, très sceptique. Crois-tu que Diane ait soudain décidé de se faire frire?

— Non. Je me demande — c'est juste une hypothèse —, je me demande si quelqu'un ne l'aurait pas brûlée. En se servant de son pouvoir mental.

— Comme dans le film *Carrie?*

— Oui.

— Mais la manche de Monique était imbibée d'alcool.

— Je sais que ce que tu dis est logique, mais je n'arrive pas à me débarrasser de cette impression qui me hante.

— Que faisons-nous?

— D'abord, agir au lieu de rester assis à attendre que Diane réapparaisse. J'ai marqué d'une croix de branchages l'endroit où j'ai trouvé son ski. Est-ce que cela te dérangerait que je t'accompagne jusque là-bas lorsque tu t'en iras?

Pierre sourit. C'est le même sourire, mais un peu différent chaque fois, plus chaleureux au fur et à mesure qu'elle le connaît mieux.

— J'espérais que tu m'aurais invité à rester, Lara.

— Ah oui? Non. Enfin, je veux dire... J'aimerais que tu restes. Mais, je... étant donné les circonstances, je ne sais pas.

Elle baisse la tête, essayant d'ordonner ses pensées.

— Tu me plais, murmure-t-elle.

— Toi aussi.

Elle lève les yeux.

— Vraiment? Non. C'est vrai?

— Bien sûr.

— Je ne te crois pas.

— Tu ferais mieux de me croire, car j'ai décidé d'aller te rendre visite chez toi.

Lara se sent soudain prise de vertige.

— Tu dois connaître beaucoup de filles. Beaucoup, sûrement, te plaisent. Rachel, par exemple. Elle est très jolie.

— Effectivement. Mais elle et toi, vous êtes deux personnes différentes. Et c'est toi qui me plais.

Lara, à sa grande honte, se met de nouveau à pleurer.

— Excuse-moi, dit-elle. Je ne pleure jamais d'habitude. Jamais!

— Tu as eu une mauvaise journée, dit-il en lui prenant la main.

— Pas si mauvaise que ça puisque je t'ai rencontré, réplique-t-elle en rougissant.

— Tu veux toujours aller à l'endroit que tu as marqué?

— Je n'arriverai jamais à dormir sinon.

— Très bien. Mais, restons encore une heure auprès de Monique, pour suivre les recommandations du médecin.

Nelly et Rachel auraient dû être infirmières diplômées. Le bandage de Monique est fait suivant les règles de l'art. Elle est allongée, le bras blessé et les jambes surélevés à l'aide d'oreillers. Elle essaie de convaincre Rachel qu'il n'y a pas de danger qu'elle retombe en état de choc et de lui donner au moins un comprimé de codéine.

Au bout de quelques minutes, Lara part retrouver Céleste, sous l'oeil inquisiteur de Nelly.

La porte de la chambre de Céleste est ouverte, la lumière est éteinte. Céleste est couchée sur le ventre.

— Céleste? C'est Lara. Monique va bien. Est-ce que je peux entrer?

— Le docteur va-t-il venir? demande Céleste d'une voix triste, sans se retourner.

Lara s'assied sur le lit, près d'elle.

— Non. Monique n'est pas dans un état grave.

— Mais, elle brûlait.

— Rachel a tout éteint en vitesse. Va lui parler, tu verras par toi-même.

— Je ne veux pas. Je vais la déranger.

— Au contraire. Tu vas lui remonter le moral. Tu dis encore plus de bêtises que moi. Allez, viens.

— Non.

— Pourquoi?

— Tout est arrivé à cause de moi.

— Tu n'as rien à voir avec ce...

Lara se tait soudain. *Quelqu'un l'a brûlée. En se servant de son pouvoir mental.*

Céleste sent que Lara a peur. Elle roule sur le côté et la dévisage. Céleste a des yeux extraordinaires, un regard émeraude de chat, hypnotique, qui brille à la faible lumière provenant du couloir.

— Tu n'as pas deviné? dit-elle. Je crois que oui.

Lara se lève et recule.

— Deviné quoi?

— Pourquoi Monique s'est brûlée.

Céleste baisse ses paupières frangées de longs cils. Son corps est secoué d'un léger tremblement. Elle rouvre les yeux, lentement.

— Je crois que tu te rappelles.

Lara respire avec difficulté.

— Quoi? Nelly l'a éclaboussée d'alcool, puis Monique est tombée près du feu...

Céleste enfouit son visage dans l'oreiller.

— Je ne t'ai pas dit la vérité jusqu'à présent. Mais je ne vais plus te mentir. Pars vite d'ici avant qu'il ne soit trop tard.

— Je ne comprends pas.

Céleste ne réplique pas. À sa respiration, Lara comprend qu'elle s'est endormie. Elle voudrait la secouer pour la questionner. Mais elle a peur de la toucher.

En bas, Nelly lui demande comment va Céleste.

— Elle dort, répond Lara.

Au bout d'une heure, Pierre donne à Monique

deux comprimés de codéine avec un verre de jus d'orange, puis il la porte dans sa chambre. Elle s'endort avant d'être bordée. Ce médicament est terriblement puissant. Nelly laisse les comprimés sur la table de nuit. Elle n'éteint pas, «au cas où Monique se réveillerait à cause de la douleur».

Rachel propose de faire du café et Pierre approuve. Ils sont tous les quatre assis dans la cuisine.

— Tu vas rester, Pierre, n'est-ce pas? dit Rachel.

— Je ne crois pas.

— Mais si. Il y a déjà deux filles hors d'état de nuire. Tu seras capable de te défendre.

— Mes parents n'aimeraient pas qu'un garçon passe la nuit ici, dit Nelly.

— Ils ne sont pas là, rétorque Rachel.

Nelly fait mine de ne pas avoir entendu et se tourne vers Pierre.

— Je serais d'accord pour que tu restes, mais je suis sûre que tu comprends.

— Pas de problème.

Rachel est sur le point d'exploser.

— Pourquoi veux-tu qu'il fasse six kilomètres à ski avec ce temps?

Minuit sonne de façon inquiétante à l'horloge à balancier du salon. «C'est l'heure de mettre bas les masques, songe Lara, de révéler ce que cachent la bouche sensuelle de Rachel, le regard obsédant de Céleste, le visage marqué de cicatrices de Nelly.» Lara considère son propre visage qui se reflète, sans vie, dans la vitre noire et glacée. Voilà à quoi elle ressemblera, probablement, lorsqu'elle mourra.

— Ce n'est pas moi qui ai établi les règles dans cette maison, dit Nelly d'un ton ferme.

— Mais tu adores les faire respecter, marmonne Rachel, sarcastique.

— Tais-toi, Rachel, dit Nelly sèchement.

— Ça suffit, toutes les deux! intervient Lara. Nous avons un invité.

— Excuse-moi, Pierre, dit Nelly.

— Je regrette, grommelle Rachel.

Pierre vide sa tasse de café d'une gorgée puis se lève.

— Un invité qui sait se conduire ne s'éternise pas. C'est à moi de m'excuser.

— Allons nous préparer, dit Lara.

— Nous? fait Rachel en plissant le front.

— Lara veut retourner à l'endroit où elle a trouvé le ski de Diane, explique Pierre. Elle va m'accompagner un petit bout de chemin.

— C'est une bonne idée, dit Nelly. J'allais la suggérer.

— Et tu vas rentrer toute seule par cette tempête? dit Rachel. C'est stupide.

— Peut-être que quelqu'un d'autre devrait venir pour que tu ne rentres pas seule, dit Pierre.

— Je viens avec vous, propose Rachel.

— Non, refuse Lara.

— Pourquoi?

— Parce que je ne veux pas.

— Tu as intérêt à revenir vite, Lara, dit Nelly en pouffant.

Rachel contrôle sa colère.

— J'espère te revoir bientôt, Pierre, fait-elle en

se levant pour lui plaquer sur la joue un baiser magistral, de quoi lui donner à penser.

Pierre, à l'immense satisfaction de Lara, ne lui rend pas son baiser.

— Nous nous reverrons sûrement, dit-il.

— Veux-tu que je t'aide avec tes skis? offre Rachel.

— Non. Restez donc ici, toutes les deux, et reposez-vous en terminant le café.

Rachel n'insiste plus.

Lara finit de lacer ses chaussures dans l'entrée et se rappelle qu'elle a oublié son écharpe dans le salon.

— Je reviens tout de suite, Pierre.

Bien plié sur les briques du foyer, à quelques centimètres de l'endroit où Monique est tombée, se trouve l'écharpe de Rachel. Lara décide de la prendre à la place de la sienne, puisque c'est sa mère qui l'a tricotée.

Elle entend des voix coléreuses depuis la cuisine.

— Charles, tu parles! s'exclame Rachel. C'est toi qui a arrosé Monique d'alcool!

— C'est lui que je visais!

— Tu l'as manqué d'au moins deux mètres!

— Insinuerais-tu, par hasard, que je l'ai fait exprès?

Lara ne veut pas en entendre davantage.

CHAPITRE 6

À l'extérieur, le thermomètre marque moins dix. Heureusement, le vent a considérablement faibli. Selon Pierre, il s'agit seulement d'une accalmie. Ils se sont passé une lampe de poche autour du cou pour éclairer la piste devant eux. Les flocons tombent implacablement. Au-delà du cercle de lumière, c'est l'obscurité. Le silence est pénétrant, déconcertant.

— Charles avait-il une lampe? interroge Lara, surtout pour entendre le son de sa voix.

— Oui, lance Pierre par-dessus son épaule. C'est toi qui l'as.

— Pourquoi ne l'a-t-il pas prise?

— Il était ivre. Et Nelly le menaçait avec le tisonnier.

— Comment a-t-il fait pour trouver son chemin dans le noir?

— Bonne question. Ne t'inquiète pas pour lui.

Elle est obligée de se taire pour accorder son rythme à celui de Pierre et ne pas lui rentrer dedans. Rompre la cadence est plus fatigant que la maintenir. Elle regarde fixement les skis de Pierre et imite ses mouvements, si bien qu'elle dépasse le mystérieux emplacement. Elle réagit soudain.

— Stop! crie-t-elle en s'effondrant dans la neige. Pierre effectue un demi-tour élégant et l'aide à se relever. Une croix pend d'un arbre adjacent.

— C'est ici?

— Oui.

— Que cherches-tu, au juste?

— Des preuves.

Lara s'agenouille et enlève la neige à pleine brassées. Son genou blessé lui lance. Le retour va être difficile.

— Regarde cette couche de glace, Pierre. Tu vois comme elle s'incurve vers le bas. Si j'enlevais toute la neige, tu verrais une dépression. Tu vois comme cette glace est sale?

— Et d'après toi, c'est parce qu'elle contient des cendres?

Si tel est le cas, ce sont les cendres de Diane.

— Quelle était l'épaisseur de la couche de neige avant la tempête?

— Pas plus de deux mètres.

— Imaginons un scénario bizarre et ayons l'esprit large. Admettons que la combustion humaine spontanée et la pyrokinétique existent. Si Diane avait skié sur ce sentier et qu'elle ait soudain pris feu, la première chose qu'elle aurait dû faire aurait été de se rouler dans la neige. Mais l'expérience nous dit qu'en général, les gens n'ont pas toujours la bonne réaction. Elle a dû enlever ses skis en vitesse, un seul peut-être, et partir en courant. Imaginons maintenant que cette force mystérieuse s'en prenne réellement à elle. Les articles que j'ai lus sur le sujet mentionnent que des gens se sont retrouvés réduits à une poignée de cendres. Dans ce cas, elle aurait pratiquement fait fondre autour d'elle un bon paquet de neige. Une énorme flaque d'eau aurait ensuite gelé, au-dessous du niveau de la neige alentour, naturellement. Il ne resterait que des traces éparpillées ne menant nulle part. Pas de corps. Le crime parfait. Qu'en penses-tu?

— Je pense que tu as une imagination fertile. Mais même d'un point de vue occulte, ça ne tient pas debout, car tu mélanges deux phénomènes distincts : la combustion humaine spontanée et la pyrokinétique.

— Ils sont très proches l'un de l'autre.

— Ce que tu as imaginé exige une puissance qui n'a jamais été vérifiée.

— Mais, à partir du moment où on reconnaît que c'est possible, pourquoi y aurait-il une limite?

— Tu parles comme une parapsychologue. Bon, supposons que ce soit possible. De qui émane cette puissance?

— Je soupçonne tout le monde.

— Même moi.

Elle est bien obligée de sourire.

— Sauf toi.

Tout à coup Pierre semble prendre feu! Non, il a simplement allumé une fusée éclairante.

— Ne refais plus jamais ça! lui crie Lara.

— Excuse-moi. Je trouvais que toutes ces spéculations ne nous menaient à rien et je voulais faire fondre un peu de neige pour l'examiner ensuite. J'aurais dû te prévenir.

— C'est moi qui regrette de t'avoir crié après. Je ne crie jamais après les gens. Tu dois penser que je suis vraiment un cas.

— Effectivement. Mais un cas adorable.

— Vraiment?

— Absolument.

Ils sont en train de débattre sur la vie et la mort, sur les forces de l'univers, et voilà qu'elle oublie tout, simplement parce qu'il lui a dit qu'elle était adorable.

— Tu n'es pas mal non plus.

— Et tu crois que je ne le sais pas? fait-il en riant.

Elle se rapproche, en prenant garde de ne pas toucher la torche. Elle se sent intrépide, tout à coup.

— Je ne plaisante pas.

Cela ne le laisse pas indifférent. Il jette sa torche.

— J'ai envie de t'embrasser.

Il pose ses mains sur les épaules de Lara et se penche en avant. Lara ferme les yeux et attend. Elle risque un regard. Pierre a l'air préoccupé.

— Je ne ferai rien pour t'en empêcher, assure-t-elle.

Pauvre garçon. Sa conscience se met en travers de son chemin.

— Tu vas encore à l'école, dit-il d'une voix nerveuse.

— Mais j'ai dix-huit ans — en fait, elle n'en a que dix-sept —. Tu n'auras pas d'ennuis avec la justice.

— Ce n'est pas à ça que je pensais! Je veux juste que tu saches que je ne suis pas le genre de type qui profite de la situation.

— Pierre, il fait moins dix. Tu ne vas sûrement pas me déshabiller. Tu ne peux pas profiter de la situation dans ces circonstances.

Il éclate de rire.

— Voilà un aspect de ta personnalité que je n'avais pas encore découvert.

Lara éclate de rire, elle aussi.

Il l'embrasse. Il a le nez froid, mais ses lèvres sont brûlantes. Elle se sent bien dans ses bras. Elle aimerait y rester longtemps, longtemps. N'est-ce pas un poète qui a dit que la mort était le plus puissant des aphrodisiaques? C'est la première fois qu'elle se laisse aller ainsi. Elle avait toujours pensé que les filles qui agissaient sous l'impulsion du moment étaient des imbéciles. Mais, soudain, elle aimerait qu'il fasse une chaude nuit d'été, qu'il y ait épais un tapis d'herbe derrière les arbres. Il la soulève. Sa bouche a le goût de carotte. Elle adore le gâteau aux carottes. Elle le prend par la taille. Il glisse et tombe sur le dos. Elle éclate de rire.

— Que s'est-il passé?

— La fusée a fait fondre un peu de neige, dit-il, légèrement hébété. J'ai glissé dans l'eau.

— Ça va? lui demande-t-elle en lui enlevant de la neige de ses oreilles.

Pierre se met à genoux, brisant l'intimité du moment.

— Examinons la glace, dit-il. La fusée en a fait fondre pas mal.

— Oui, c'est pour ça que je suis venue, dit Lara, revenant à la réalité.

Leur diagnostic est incertain. Une substance

noire est mêlée à la neige, qui pourrait provenir de cendres ou de n'importe quoi. Lara veut creuser plus profond. Mais Pierre n'est guère enthousiaste. Il prétexte qu'il est tard et qu'il a encore un long chemin à parcourir.

— Si je dormais chez Nelly, je serais d'accord pour creuser sous toute la piste, s'il le fallait.

— Je pourrais te cacher dans la maison, dit Lara, derrière lui.

Elle l'entoure de ses bras. Demain matin, elle n'en reviendra pas d'avoir pu faire et dire toutes ces choses.

— Mais Nelly n'approuverait pas, poursuit-elle. Sans compter Rachel.

— Nous ne ferions pas de bruit.

— Et toi qui avait peur de m'embrasser!

— Je n'avais pas peur! fait-il, indigné. C'est juste que...

— Que tu es un parfait gentleman. Je sais.

Il sort de la poche de sa veste un objet qui ressemble à un pistolet.

— Tiens, prends ça. C'est un pistolet à fusées éclairantes. Il est chargé et voici une recharge qu'il suffit de glisser dedans. Il faudrait toujours en avoir sur soi quand on part en excursion la nuit. Pour t'en servir, tiens-le éloigné de toi en le pointant vers le ciel.

— Ça m'a l'air dangereux, dit Lara en le fourrant dans la poche de son pantalon.

— Ne tire sur personne, c'est tout.

— Sur Rachel, peut-être.

— Hé, Rachel est une chic fille.

— Bon, bon.

Pierre la serre dans ses bras.

— Et, toi, plus encore.

— Dis, je ne t'ai pas donné mon numéro de téléphone.

— Nous nous reverrons sûrement avant ton départ.

— Je n'en suis pas sûre.

— Moi, oui.

Elle se dégage. Elle se sent mal.

— Tu ne veux pas mon numéro de téléphone?

— Pour quoi faire?

— Quoi?

Il éclate de rire.

— Je l'ai déjà.

— Qui te l'a donné?

— Les renseignements téléphoniques. On m'a même communiqué ton adresse.

Elle le frappe à l'estomac.

— Tu me racontes des histoires!

— Tu es drôlement mignonne quand tu fais cette tête-là.

— Quand as-tu appelé les renseignements?

— Je ne te le dirai pas.

— Probablement tout de suite après m'avoir rencontrée à la cafétéria.

— Non, mais, écoutez-la!

— Où habite Rachel?

— Je ne te le dirai pas.

Elle s'apprête à le frapper de nouveau.

— Doucement, doucement. Je ne sais pas.

— Bien répondu, l'ami.

Une bourrasque de vent a mis de travers le bonnet de Pierre. Elle le lui arrange sur les oreilles.

Le plus fort de la tempête est passé. Leur gaîté est un peu tombée aussi. Peut-être parce que le froid commence à se faire pénétrant.

— Tu boites encore. Je vais t'accompagner, puis je m'en irai.

— Non, tu ne le pourrais pas. Je t'en empêcherais.

Son intuition lui souffle que Pierre ne doit pas retourner à la maison. Pas à cause de Rachel, mais parce qu'il lui est vraiment cher et qu'elle veut le savoir en sûreté. «Pars d'ici pendant qu'il en est temps, Pierre.»

— Allez, va-t'en avant que je ne change d'avis, dit-elle en l'embrassant vite sur les lèvres. Appelle-moi lundi, si nous ne nous revoyons pas d'ici là.

— À six heures du matin.

— Je serai réveillée. Au revoir, Pierre. Ne... ne m'oublie pas.

Il fait demi-tour et se retourne une fois, puis un coude de la piste le cache à sa vue.

Lara s'avance au centre de la dépression et en dégage la neige. Avec une roche pointue qu'elle a trouvée sur le bord, elle s'attaque à la glace. Au bout de vingt minutes, elle a creusé un trou d'une trentaine de centimètres de profondeur dans une matière épaisse et grise dont un gros morceau foncé se détache. Cela fera l'affaire. Son genou la fait souffrir. Elle met le morceau de glace dans sa poche.

Si elle n'avait pas eu le vent dans le dos, jamais elle ne serait arrivée à la maison. Quand elle l'atteint, elle a les poumons en feu et ses jambes refusent presque d'avancer. À l'exception d'une lueur orange qui perce à travers les fenêtres du salon, la maison est plongée dans l'obscurité.

Elle s'assied dans l'entrée et attend que ses mains se dégourdissent pour pouvoir délacer ses bottes. Personne ne vient l'accueillir.

Nelly est allongée, seule, sur le sofa, près du feu. Lara la croit endormie, mais Nelly lui adresse la parole, sans ouvrir les yeux.

— As-tu trouvé ce que tu cherchais, Lara?

— Je n'ai pas trouvé Diane.

Lara s'assied en face d'elle.

— A-t-on appelé de la station?

— Les lignes sont coupées.

— Comment cela?

— À cause de la tempête.

— As-tu un téléphone cellulaire?

— Oui, quelque part.

— Où est Rachel?

— Elle dort.

— Et Céleste?

— Elle dort aussi, j'imagine. La porte de sa chambre est fermée à clef.

— Pourquoi s'est-elle enfermée?

— Peut-être qu'elle ne veut pas qu'on la dérange.

— Vous étiez en train de vous disputer, Rachel et toi, quand je suis partie.

— Nous avons résolu nos différends.

— Tant mieux.

Des étincelles s'échappent des bûches. Lara qui a les nerfs à fleur de peau fait un bond de trente centimètres. Nelly ouvre les yeux.

— As-tu découvert quelque chose?

— Non.

— Rien?

— De la neige. De la glace sale.

— Tu as eu une journée éprouvante, hein?

— J'ai fait la connaissance de Pierre. Mais, à part cela, c'est vrai, cette journée a été dure. Tout le temps j'ai pensé à Diane.

— J'ai vécu beaucoup de journées difficiles.

— Tu veux dire, après l'accident?

— Toute ma vie semble avoir été «après l'accident». Je ne me rappelle rien avant. Et toi?

— Je me rappelle Nicole.

— Vraiment? Cela m'étonnerait. En fait, je suis sûre que non.

Elle se dresse sur son séant et remue le feu avec le tisonnier. Une lueur illumine son visage et les ombres font ressortir ses cicatrices.

— Tu es en train de regarder mes cicatrices.

— Tu ne t'es pas maquillée cette fin de semaine. Pourquoi?

— Que veux-tu que je vous cache? Est-ce que Pierre t'a dit qu'il te trouvait mignonne?

— Tu me hais toujours, n'est-ce pas?

Nelly laisse tomber le tisonnier, elle ferme les yeux et retient longuement sa respiration.

— Si... commence-t-elle.

Puis elle s'arrête net. Une larme solitaire roule le long de sa joue. Son visage est impassible, comme un masque.

— C'est étrange, continue-t-elle tout bas, mais, non, je ne te hais pas. Je le devrais pourtant. Maintenant, je... je ne ressens plus rien.

Elle se secoue puis ramasse le tisonnier.

— Allez, va dormir, Lara. Il est tard.

— Toi aussi. Tu as besoin de te reposer.

Lara contourne le sofa et presse les épaules de Nelly.

— Je vais aller me coucher dans un petit moment.

— Crois-tu qu'il faille s'inquiéter pour Diane, Nelly?

— Je me sens responsable de vous toutes. Bonne nuit, Lara.

Lara se traîne lentement à l'étage. Elle est au bord de l'épuisement. En une journée, elle a parcouru plus de kilomètres et vécu plus d'émotions qu'en une année. S'assoupir et oublier ne serait-ce qu'un bref instant, c'est tout ce qu'elle désire. Mais pour atteindre sa chambre, elle doit passer devant celles des autres. Elle a beau être exténuée, sera-t-elle capable de dormir sans les interroger auparavant?

Chez Monique, la lumière est allumée. Lara entre sur la pointe des pieds, sans frapper. Monique a une respiration régulière ponctuée de ronflements sonores. Le tube de comprimés est débouché. Lara relit les instructions. Le tube contient normalement quarante comprimés. Jamais autant de comprimés de cette taille ne tiendraient dans ce tube. Lara espère que Monique n'en a pas absorbé d'autres. De toute façon, les personnes en état de choc ne ronflent pas. Aussi Lara s'éloigne-t-elle rassurée après avoir arrangé la couverture.

La porte de Rachel est fermée, la lumière est éteinte. Lara frappe doucement et appelle. Pas de réponse. Rachel ne veut sûrement pas lui parler. Lara sait qu'elle a le sommeil très léger.

À la porte de Céleste, même chose, pas de réponse. Elle veut tourner la poignée. La porte est effectivement fermée à clef.

— Céleste, c'est moi, Lara. Ouvre.

Elle n'insiste pas. Elle fait un dernier effort jusqu'à sa chambre. Le morceau qu'elle a dans sa poche lui cogne contre la jambe. Il est encore gelé. Elle le pose sur la table, près du radiateur. Au matin, l'eau se sera évaporée et elle pourra examiner à loisir ce qu'il en restera. Elle voit dans le miroir de la coiffeuse qu'elle a les yeux tout rouges. Elle enlève à moitié son pantalon et se laisse tomber sur le lit. Elle a encore sa veste. Dans une minute, elle va aller à la salle de bains et enfiler son pyjama, se brosser les dents, éteindre la lumière et se mettre au lit. Dans une seconde...

Elle a déjà sombré dans le sommeil comme en un puits obscur dont l'eau va la laver de toutes ces images de feu et de cendres. Rachel ne va pas la tuer. Nelly ne la hait pas. Charles est loin. Le Colonel est un brave homme. Diane est saine et sauve. Céleste n'est pas une seconde Carrie. Le bonhomme de neige a fondu naturellement. Tout va bien.

Lara se réveille en sursaut, une alarme a retenti dans sa tête. Elle ne se rappelle plus où elle est. Elle tombe du lit et se cogne le nez. Il s'agit d'une alarme d'incendie. Elles vont toutes périr brûlées vives.

En réalité, c'est son réveil qui annonce trois

heures du matin. Vingt-quatre heures se sont écoulées depuis qu'elle s'est levée avec la perspective d'une merveilleuse fin de semaine à la montagne. Elle a été inconsciente pendant exactement une heure. Elle éteint la sonnerie du plat de la main. Tout un flacon d'aspirine ne viendrait pas à bout de sa migraine. Elle a la bouche sèche... aussi sèche que le dessus de la table! La glace a laissé percer son secret.

Dix secondes plus tard, Lara est en train de vomir dans les toilettes. Les cendres entouraient quelque chose de noir qui ne pouvait être qu'un os carbonisé.

Diane est à la station. Diane a pris le bus. Diane est chez elle... Diane est morte.

«Si je meurs et que les portes du ciel me sont fermées...»

Lara a un haut-le-corps. Elle voudrait s'évanouir, mais alors elle ne se réveillerait pas, elle le sait. Il faut absolument qu'elle quitte cette maison! Si elle reste, elle va finir en chair à pâté. Et — «Dieu lui pardonne» — elle doit partir seule. Monique est droguée et elle ne peut pas faire confiance aux autres.

Elle se redresse lentement et n'actionne pas la chasse. Personne ne doit savoir qu'elle est réveillée. «Ferme ta veste. Prends tes gants. Mets tes chaussures. Éteins la lumière.» Jusqu'à présent, tout va bien. Elle avance tranquillement vers la porte. Son genou est raide. Elle retient un cri de désespoir. Elle ne va jamais pouvoir descendre la montagne avec une jambe dans cet état. Le téléphone cellulaire? En supposant qu'il y en ait un, elle devrait mettre la maison sens dessus dessous pour le trouver. Pas avec un assassin pyromane dans les parages. Et Charles a-t-il réellement quitté la maison? Tout le monde a entendu la porte claquer, mais la maison est assez grande pour le cacher. La motoneige au sous-sol! Les clefs sont dessus! Et Nelly a dit que c'était aussi facile à conduire qu'une voiture!

Lara se faufile dans le couloir sombre, s'attendant à sentir le métal froid d'un poignard sur sa colonne vertébrale, une lame de rasoir lui tranchant la gorge. Elle passe la chambre de Céleste, celle de Rachel, celle de Monique. La voici dans l'escalier. La lueur rouge qui provient du salon lui donne l'impression de descendre aux enfers. Le salon n'est empli que d'ombres mouvantes. Il n'est pas question qu'elle aille au sous-sol sans se munir d'une arme. Les fusils sur la cheminée ne sont pas chargés. Elle s'approche de la cheminée et prend le tisonnier.

La porte du sous-sol est entrouverte, un rai de lumière argentée éclaire le tapis épais. En trois bonds, Lara peut dévaler les marches et se retrouver au volant de la motoneige. Inutile d'ouvrir la porte du garage. Elle foncera dedans. Le tout ne lui prendra que quinze secondes.

Mais, en haut des marches, il ne fait pas assez clair pour avoir une bonne vue d'ensemble du sous-sol. Des lambeaux de fibres de verre pendent au-dessus de sa tête. Elle s'arrête, en s'efforçant de ne pas penser. Une odeur de kérosène lui arrive tout à coup aux narines. Elle en vomirait si elle n'avait pas déjà vidé son estomac noué.

Qui es-tu, esprit malfaisant du sous-sol?

Quelque part, quelqu'un dépose un bidon en plastique sur le sol en ciment. On entend un gargouillement et un autre bidon rebondit par terre. Le tisonnier que Lara tient à la main cogne contre le réservoir d'eau chaude. Le gargouillement cesse. Lara, sans perdre une seconde, se précipite de nouveau en haut et claque la porte du sous-sol. Elle entend quelqu'un monter à toute vitesse à sa suite. Elle pousse le verrou. On frappe à coups de poing derrière la porte. Elle sort sans ses skis, se retrouve sur la piste poudreuse, en tennis. Elle s'enfonce de cinquante centimètres à chaque enjambée. Son genou est comme du coton. Elle ne regarde pas une seule fois par-dessus son épaule.

Ses chances de s'en sortir sont faibles. La tempête s'est démultipliée en tornades violentes. Les flocons de neige heurtent son visage encore plus cruellement que ne le ferait du sable. Elle n'a jamais vu un blizzard d'une telle intensité. Elle n'a pas de lampe, plus de force. Pierre n'est pas là. Elle est pratiquement condamnée à mourir. Mais elle ne reviendra pas en arrière. Elle préfère geler plutôt que brûler vive.

Elle avance à l'aveuglette, en titubant. Ses mains rencontrent soudain un mur de glace. Il a dû y avoir une avalanche; ce mur n'était pas là il y a quelques heures. Elle tente de le contourner et s'empêtre dans des buissons qui bordent la piste. Le mieux est de l'escalader. Elle a déjà franchi une bonne distance lorsque, tout à coup, ses pieds perdent le contact. Le ciel se renverse puis disparaît, la neige lui recouvre la tête. Elle crie. La neige l'étouffe. Elle tombe, tombe. Dix-sept ans seulement. Ce n'est pas juste!

Elle s'immobilise enfin. Elle cesse de crier. Elle peut respirer aisément. Mais, à quoi bon? La station pourrait tout aussi bien se trouver sur la face cachée de la lune, jamais elle ne l'atteindra. Elle est si fatiguée. Elle ferme les yeux. Le froid passe à travers sa veste. Elle se dit que, si elle reste ainsi un moment, plus jamais elle n'aura froid. Inutile de lutter contre ce qui est inévitable. Une délicieuse chaleur envahit sa poitrine. Comme c'est agréable. Elle n'a même pas besoin de respirer. «C'est cela, Lara. Repose-toi. Tout va bien. Tu vas bientôt rejoindre Diane.»

— Non! s'écrie-t-elle horrifiée, prenant soudain conscience de sa folie. Non! Je ne mourrai pas!

Elle s'attaque au monticule. Ce n'est plus seulement la terreur qui l'habite, mais une volonté de revanche qui lui donne de nouvelles forces. L'assassin de Diane, fût-il le diable lui-même, va payer. De la neige tombe dans son cou. Une arête de glace lui laboure la joue. Du sang jaillit qui gèle aussitôt. Soudain, le mur de glace s'ébranle et elle tombe en avant. Elle est passée.

Sa colère ne la porte pas plus loin qu'un kilomètre. Ses jambes refusent de lui obéir. À quatre pattes, elle progresse encore de deux cents mètres à peine. Puis elle ne sent plus ses mains, ses genoux, ses bras ni son visage, ni même son coeur. Pierre pourra appeler lundi, personne ne lui répondra. Elle ne sera pas là pour recevoir son diplôme. Le jour de son anniversaire, sa mère n'aura pas à faire de gâteau. Sa mère a toujours eu horreur de faire de la pâtisserie, de toute façon.

— Je ne mourrai pas, dit-elle d'une voix sourde, en se roulant en boule.

Ses larmes se figent sur ses joues. Ses doigts sont gelés. Pour les réchauffer, elle ôte ses gants avec ses dents et veut mettre ses mains entre ses cuisses. Elle sent alors quelque chose dans sa poche, qui fait obstruction.

Le pistolet à fusées éclairantes! Elle le prend et veut appuyer sur la gâchette, mais il glisse de sa main engourdie et s'enfonce dans la neige. Se déchirant presque les joues, elle plonge sa main droite dans sa bouche et lèche frénétiquement ses doigts, ce qui provoque un fourmillement douloureux. Puis, elle frappe ses mains l'une contre l'autre, à s'en briser les os. Elle ne peut toujours pas actionner la gâchette. Son inspiration lui souffle une troisième méthode de réchauffement. Elle glisse de nouveau ses mains dans son pantalon et — peu importe, après tout, puisque de toute façon elle va mourir — elle fait pipi dessus. Ça marche.

La fusée monte dans le ciel, le bulbe jaune éclate mais la lumière rouge qui explose avec une détonation est presque entièrement avalée par les nuages bas. Un garde qui se trouverait à un kilomètre de là ne la verrait pas. Merci quand même, Pierre. Elle recharge le pistolet mais ne se donne pas la peine de tirer. Elle le fourre dans sa ceinture sous son manteau. La noirceur est accablante.

«Je ne mourrai pas», se dit Lara, en sachant bien que si. Son corps se détache déjà de ce qui lui reste d'esprit conscient. Au moins, elle ne sent rien.

C'est drôle qu'elle puisse encore voir. Ses yeux ont dû geler grands ouverts. On va la retrouver comme ça, fixant à jamais la piste dans le vain espoir de voir venir de l'aide. Et cette personne entourée d'un halo de lumière qui arrive à sa rescousse n'est probablement qu'une hallucination. À moins qu'elle soit déjà morte et qu'il s'agisse d'un ange. Il s'approche. Il est grand, avec des kilos en trop et un visage pas rasé. Il porte des pantalons bouffants et n'a rien de séduisant. Tu parles d'un ange. Une fille comme elle, qui a été si gentille, qui a toujours eu de bonnes notes et n'a jamais connu l'amour, méritait un beau séraphin.

— Lara, dit-il en la fixant de toute sa hauteur olympienne.

Ce n'est pas un ange. Et elle n'est pas morte, mais elle le regrette.

C'est Charles.

Puis, le néant.

CHAPITRE 7

Elle entend des voix, il fait chaud, l'atmosphère est lourde et il flotte une odeur bizarre.

— Réveille-toi, Lara.

— Laisse-moi, Diane, je suis morte.

— Réveille-toi, imbécile.

Ça, c'est Rachel. De quel droit ose-t-elle la traiter d'imbécile? Lara ouvre les yeux. Elle est par terre, dans le sous-sol de Nelly.

— Qu'est-ce que je fais ici?

Elle veut s'asseoir. Elle ne peut pas. Elle n'est plus gelée mais attachée. Elle roule de côté. Diane est là qui lui sourit.

— Diane! Quel soulagement! Je te croyais morte.

— Si j'étais toi, je ne me réjouirais pas si vite. Tu remarqueras que nous sommes ficelées et que le sous-sol est inondé de kérosène.

Diane a les mêmes vêtements que lorsque Lara l'a vue pour la dernière fois avec, en plus, des mètres de corde à linge et de ruban isolant — comme elles toutes — autour des chevilles et des poignets. Rachel est sur le dos, de l'autre côté. Ses cheveux autrefois blonds sont striés de sang et son visage est couleur de cendre. À l'autre bout du sous-sol, sous l'énorme cuve de propane, il y a une mare de kérosène et des rangées de bidons du même liquide.

— J'aurais dû me méfier de Charles! s'écrie Lara.

— D'après ce que nous avons réussi à comprendre dans la situation où nous sommes, dit Diane, c'est que Charles, désenivré, a fait demi-tour pour s'excuser. Il t'a trouvée dans la neige et portée ici pour te confier aux soins de Nelly. Rachel et moi avons essayé de crier. Nous les entendions parler au-dessus, mais Nelly nous avait bâillonnées. En fait, Charles t'a sauvé la vie. Enfin, pour l'instant. Tandis que tu dégelais béatement, Nelly, une fois Charles parti, t'a lié pieds et poings et traînée ici.

— Je ne comprends pas, dit Lara. Où étais-tu donc, Diane?

— Oh, j'ai toujours été dans la maison. Quand je suis rentrée de la station, Nelly m'a offert une tasse de délicieux chocolat fumant et je me suis réveillée dans son placard, à côté d'un de mes skis, attachée comme... comme toi, maintenant. Et bâillonnée, en plus. Je t'ai entendue appeler la station et te demander avec Rachel où je pouvais bien me trouver. J'ai apprécié ta sollicitude. Ouh! J'ai envie d'aller à la toilette! Je vois que toi, Lara, tu n'as pas pu attendre. Quand je pense que je t'ai offert ce pantalon à Noël, l'an dernier. Dans quel état tu l'as mis!

— Comment peux-tu plaisanter dans un moment pareil! lui reproche Lara.

— Que veux-tu faire d'autre? rétorque Diane

les yeux gonflés de larmes.

— Comment va ta tête, Rachel? demande Lara en se tournant de l'autre côté.

— Ça va mieux. Est-ce que je saigne encore?

— Oui. Beaucoup. Que s'est-il passé?

— Après que tu sois partie avec Pierre, Nelly et moi avons arrêté un moment de nous disputer. Nous sommes allées dans le salon. J'ai tourné le dos l'espace d'une seconde et j'ai senti le tisonnier me briser le crâne. Je me suis retrouvée ici. Nelly a amené Diane quelques minutes plus tard pour me tenir compagnie.

Lara peut à peine en croire ses oreilles. D'autant plus que beaucoup de choses restent inexpliquées.

— Si tu savais comme je regrette, Rachel.

— N'en fais pas toute une histoire. Si j'avais eu à choisir entre prendre un café avec Nelly ou aller faire une longue promenade dans la nuit avec Pierre, je n'aurais pas hésité. Est-ce que tu l'as embrassé?

— Rien qu'une fois.

— Qui a pris l'initiative?

— Lui, bien sûr.

— Menteuse. Tu es encore pire que moi, Lara. Mais ne t'excuse pas. Je te comprends.

— Non, je regrette de t'avoir soupçonnée de meurtre.

— Moi? souffle Rachel d'une voix pleine de tristesse. Comment as-tu pu pensé cela de moi?

— J'ai écouté ta conversation au téléphone.

— Oh, je vois. Je parlais simplement avec Daniel. Tu sais, ce type qui a un appareil dentaire? Il a réparé le frein de ma voiture et il m'a fait une mise au point gratuite. Alors, pour le remercier, je l'ai invité à venir voir *Carrie* chez moi, sur vidéocassette. Ça lui a donné une idée pour truquer l'élection de la reine de la rentrée. Je suis une ordure, hein? Je sais que je suis plus jolie que toi, mais pour le reste, je me suis toujours sentie inférieure. Je ne pensais pas pouvoir gagner honnêtement. Comme Diane ne faisait plus partie du jury et que c'est Daniel qui la remplace, nous nous sommes dit que nous avions une chance.

— Comment comptiez-vous truquer l'élection exactement?

— Je préfère ne pas te le dire.

— Rachel, espèce d'idiote, tu aurais gagné haut la main, dit Lara en se débattant en vain avec ses liens. Même moi, j'aurais voté pour toi.

Rachel pousse un soupir.

— On ne sait jamais, vois-tu.

— Où est Nelly maintenant? demande Lara.

— En haut, répond Diane.

— Céleste! Elle va tuer Céleste!

— Lara, elle va toutes nous tuer, dit Diane.

Une petite lumière éclaire tout à coup l'esprit de Lara. La vérité se fait jour. Céleste avait raison. *«Tu ne sais donc pas?»*

— Peut-être, fait Lara.

— Céleste aurait-elle droit à un traitement de faveur parce qu'elle n'était pas avec nous lors de l'incident? demande Rachel.

— Rachel, je te l'ai déjà demandé. Pourquoi as-tu froncé les sourcils quand le oui-ja a épelé le nom de Nicole? interroge Lara au lieu de répondre.

— Lara, nous allons bientôt toutes mourir. Tu ne pourrais pas poser des questions plus pertinentes?

— C'est en effet une drôle de question, renchérit Diane.

— Quelqu'un faisait bouger la planchette, n'est-ce pas?

— Nous la faisions toutes bouger, dit Rachel.

— Mais, il n'y avait pas quelqu'un qui la faisait bouger *exprès*?

— C'est ce que j'ai cru sur le moment... oui, peut-être.

— Et alors? fait Diane.

— Et alors, rien, peut-être, dit Lara. À moins que cela n'explique tout.

— On vient, dit Rachel, tendue.

— Ne demandez pas grâce, souffle Diane. Ne donnez pas à Nelly cette satisfaction.

Quelqu'un descend l'escalier avec précaution, car ses jambes ont perdu de leur souplesse après un séjour très long à l'hôpital. Diane et Rachel retiennent leur respiration. Pas Lara. Depuis leur rencontre dans la bibliothèque, tout au fond d'elle-même, elle sait.

— Céleste! s'écrie Diane.

— Détache-nous! dit Rachel. Vite!

Céleste les ignore. Elle n'a d'yeux que pour Lara. De beaux yeux verts, des yeux d'enfant, d'une enfant qui ne devait pas grandir.

— Bonjour, Nicole, dit Lara.

Nicole-Céleste lui fait un petit signe de tête.

— J'ai essayé de te prévenir.

La vérité saute maintenant aux yeux de Lara. La maladresse de Nelly et Nicole lors de leur «première» rencontre. La crème sur la coiffeuse, qui en réalité était celle de Nicole Kutroff. Leur facilité à se deviner pendant le jeu. La réaction de Nelly lorsque Charles a pincé Céleste. Et une foule d'autres détails.

— Et tu ne voulais faire de peine à aucune de nous, dit Lara.

Le visage de Nicole se contracte horriblement. Des années de tourment lui enlèvent son masque d'innocence.

— Je ne pouvais pas vous faire autant de mal que j'aurais voulu, dit-elle amèrement.

Rachel et Diane restent sans voix. Lara veut plaider leur cause, dire que cela a été un accident, mais Nicole relève son tricot. Elle n'a rien en dessous. Diane étouffe un cri. Rachel ferme les yeux.

— Mon Dieu, dit Lara dans un souffle.

Les cicatrices de dix ans de chirurgie ininterrompue sont là; des morceaux de chair rouge et boursoufflée, suturés les uns aux autres, dans l'espoir que la vie va continuer — mais quelle vie? Les seins sont deux bosses grotesques, l'abdomen, un noeud serré de peau. Pas de mamelons, pas de nombril. *«Je ne suis jamais sortie avec un garçon.»* Cette vue provoque le dégoût.

— Je pourrais aussi enlever mon pantalon, dit Nicole en ricanant. C'est encore mieux, plus intéressant.

Lara secoue la tête.

— Ce n'est pas possible, bégaye Rachel. Nicole

est morte.

— Cela aurait mieux valu pour vous toutes, n'est-ce pas? fait Nicole, sarcastique. Oh, je voulais mourir. Toutes les fois que j'avais mal. Mes parents vous ont fait croire que j'étais morte parce qu'ils ne voulaient pas qu'on sache à quel état se trouvait réduite leur fille. Naturellement, ce n'est pas ce qu'ils m'ont dit. Ils me racontaient qu'ils s'efforçaient de me donner un nouveau départ, pour que je mène une vie normale. Bah! Même en pleine chaleur, même tout au fond du jardin, j'étais toujours vêtue des pieds à la tête. Ils avaient honte, tout simplement. Mais, j'ai eu des compensations. J'ai vu les photos de mon propre enterrement!

— Tu ne nous feras pas disparaître, dit Lara, d'un ton convaincu, car quelque chose lui dit que c'est vrai.

— Si! Toute ma vie, j'ai attendu ce moment. J'en rêvais.

— Non, pas toi. Je me rappelle...

— Tu te rappelles une petite fille heureuse, Lara!

Nicole se retourne et pose une main sur la cuve de propane, qui ressemble à une ogive nucléaire. Il suffirait d'une étincelle...

— Peut-être. Mais je connais bien Céleste.

— Ah, oui? Tu ne savais pas que c'était un monstre, hein?

— Tu n'es pas un monstre.

— Diane a failli vomir et Rachel n'a pas pu supporter ma vue!

— Toi qui étais mon amie, je ne peux pas croire

que...

— Je jouais la comédie, Lara! Je n'ai jamais été ton amie! Jamais!

— On ne peut pas être bonne actrice à ce point. C'est Nelly qui a eu l'idée de tout cela, n'est-ce pas?

— C'est mon idée!

— Je ne te crois pas. Pourquoi es-tu allée vivre chez ta tante, dans notre ville, si tout ce que tu voulais, c'était nous tuer?

Nicole s'appuie contre la cuve. Elle baisse la tête.

— Tu es allée chez ta tante, reprend Lara, jouant le tout pour le tout — puisqu'elle n'a rien à perdre — parce que tu ne faisais pas confiance à Nelly. Tu voulais savoir si nous étions aussi méchantes qu'elle te l'avait dit.

— Et vous l'êtes! Vous allez aux matches de football et au cinéma avec votre petit ami, sans jamais penser à ce que vous avez fait! Je vous ai même posé la question une fois. Je vous ai demandé si quelqu'un avait été blessé. Et vous avez dit non! Vous aviez oublié! Comment avez-vous pu m'oublier?

— Cela nous faisait trop mal d'en parler, explique Diane.

Nicole lutte pour retrouver son calme. Elle s'éloigne de la cuve et les fixe.

— Je suis allée habiter chez ma tante pour comprendre. C'est tout. Comprendre. Je n'étais qu'une toute petite fille à l'époque.

— Il n'y a rien à comprendre, dit Rachel. C'était un accident.

— Lara m'a versé de l'essence dessus!

— Du brandy. C'était pour éteindre le feu, dit Rachel. Moi aussi, j'ai essayé. Je me suis même brûlé les mains.

Nicole secoue la tête.

— Ce n'est pas comme ça que ça s'est passé. C'est Nelly qui a éteint le feu. C'est elle qui m'a sauvée.

— Nous avons toutes fait ce que nous avons pu, dit Lara.

— Non! Vous ne vouliez même pas que j'aille avec vous! Vous ne m'aimiez pas!

Lara pense que le moment est venu.

— Tu te trompes, Nicole. C'est Nelly qui ne voulait pas que tu viennes avec nous. C'est elle qui a épelé ton nom sur le oui-ja. C'est elle qui a dirigé la planchette vers toi. C'est Nelly qui est responsable de l'accident!

— Oh, vraiment, Lara? dit Nelly d'une voix tranquille.

Elle descend les marches, chaudement habillée, et tend une veste à Nicole.

Lara est frappée par son calme et sa sérénité.

— On y va, Nicole? Monique n'est pas près de se réveiller.

— Attends, dit Nicole, déchirée d'anxiété, tout à fait le contraire de sa soeur. Je veux savoir ce qui s'est passé exactement.

— Je te l'ai dit.

Nelly s'approche de la cuve, vérifie la pression.

— Menteuse, fait Rachel.

Nelly sourit.

— Tu ne m'as pas donné beaucoup de fil à

retordre, Rachel. Tu n'as aucune imagination. Avec Lara, le jeu en valait la chandelle. Elle a été parfaite, obsédée par le bonhomme de neige, le ski de Diane, les cendres dans la neige. Ce dernier indice était presque trop exagéré. Elle a été tellement effrayée qu'elle a failli s'enfuir. Tu sembles étonnée, Lara. Mais je voulais savourer ma vengeance. Avec une torche, pendant que Rachel et Diane nettoyaient ce sous-sol, j'ai fait fondre le bonhomme de neige. Cela m'a pris deux minutes. C'est moi qui ai assommé Diane. Puis, j'ai skié dans vos traces pour aller planter son ski dans la neige et faire fondre la neige avant d'y jeter un sac plein de cendres et d'os d'un vieux barbecue. Tout a contribué à mon plan. Cet imbécile de Charles et son napalm ont créé l'atmosphère. J'ai même eu la chance de mettre le feu à Monique. Je t'ai entendue parler avec Pierre, Lara. Combustion spontanée! Pyrokinétique! *Carrie*! Je t'avais en mon pouvoir. Tu avais peur de prendre feu à tout moment.

Nelly sort un briquet de sa poche.

— Eh bien, tu ne seras pas déçue. Cet endroit va bientôt exploser. Vous allez être bien au chaud en attendant que les secours arrivent. Et personne n'ira en prison, car il n'y aura pas de preuves.

— Attends, répète Nicole sans quitter des yeux sa soeur. Cette nuit-là, est-ce que c'est toi qui a épelé mon nom sur le oui-ja?

— Bien sûr que non.

— Lara prétend que c'est toi.

— Tu penses bien que dans la situation où elle est, Lara est prête à raconter n'importe quoi.

Nelly ouvre un carton qui contient quatre autres bidons de kérosène.

— Aide-moi, s'il te plaît.

Nicole ne bouge pas.

— Si je n'avais pas tant souffert...

— Tu nous laisserais peut-être partir, risque Lara.

— C'est ma soeur. Elle a pris soin de moi, dit Nicole en se mordant la lèvre.

— Elle t'a menti, insiste Rachel.

Nelly a débouché un bidon et le flaire comme s'il s'agissait d'un vin de grand cru.

— C'est bien du brandy que tu as versé sur moi, pas de l'essence, Lara?

— Nous n'avions pas d'essence dans le salon, voyons, dit Diane.

— Mais, le brandy contient beaucoup d'alcool.

— J'ai paniqué, dit Lara. Je voulais éteindre le feu.

— J'ai tellement souffert... murmure Nicole, en fermant très fort les yeux, toute tremblante.

— Mais tu as été heureuse ces derniers temps, glisse Lara. Rappelle-toi quand nous sommes allées au cinéma et cette énorme crème glacée que nous avons mangée après, à nous rendre malades. Rappelle-toi quand...

— Je me rappelle que j'ai brûlé! C'est tout ce que je me rappelle!

Nicole éclate en pleurs. Elle se tourne vers Nelly.

— Arrête!

Nelly pose le bidon de kérosène et regarde sa soeur sans se départir de son calme.

— Oui?

— Je veux que tu arrêtes.

— Nous ne pouvons plus reculer.

— Il faut arrêter.

— Mais...

— Tu m'as menti! Tu m'as dit que c'était de l'essence! Tu m'as dit qu'elle m'avait arrosée d'essence! Exprès!

En étirant la tête le plus possible pour suivre leur conversation, Lara remarque un renflement dans son pantalon, sous son manteau. Le pistolet! Nelly ne le lui a pas enlevé. Si seulement elle pouvait libérer ses mains pour le prendre.

— Tu vois mon visage, petite soeur? fait tranquillement Nelly. Il n'est pas très beau, hein? Il est comme ton corps. Maintenant, regarde-les, elles. Elles sont toutes jolies à voir. Alors, qui ment, à ton avis?

— Il n'est pas nécessaire que quelqu'un mente, dit Nicole.

Il est évident qu'une bataille terrible se livre dans son esprit.

— Avant d'aller habiter chez tante Marthe, je t'ai dit que...

— Tu avais tort, de toute façon. Si ces demoiselles avaient été un peu moins bêtes, elles auraient pu découvrir ta véritable identité grâce à tante Marthe.

— Je ne regrette rien! Je suis contente d'avoir entendu les deux versions de l'histoire! Nelly, nous ne sommes pas obligées de...

— Ça suffit!

C'est la première fois que Nelly élève la voix.

Nicole se met à trembler comme une feuille.

— Nous n'allons pas discuter encore. Va m'attendre sur la véranda.

Lara constate que tout espoir est perdu. Les liens du sang sont plus forts que la vérité. Nicole obéit à l'ordre de sa soeur. Elle enfile sa veste puis elle se traîne vers l'escalier, sans les regarder.

— Au revoir, Céleste, dit tristement Lara.

Nicole se retourne.

— Pourquoi m'appelles-tu comme ça?

Nelly s'occupe de nouveau de ses bidons de kérosène.

— Parce que Céleste était mon amie. Pas toi. C'est nous qui avions raison. Nicole est morte.

Les frêles épaules de Nicole s'affaissent sous le poids de cette réplique, puis elle sourit, les larmes aux yeux.

— Céleste veut dire «divin», murmure-t-elle. J'ai pris ce nom pour vous tromper. Ma mère a une photo de moi en robe dorée, à sept ans. Non, je devais en avoir six. Je ne pouvais pas porter de robe à sept ans. C'est ma photo préférée. Je l'ai dans mon sac, si tu veux la voir... Mais, cette photo représente quelqu'un d'autre que moi, quelqu'un que je ne connais pas, quelqu'un que j'aurais voulu être. C'est cette personne qui est allée habiter chez tante Marthe, pour être elle-même, pour être heureuse. Sur la photo, je suis au bord de la piscine, en train de rire. Ma mère l'a prise juste avant que je tombe dans l'eau et que j'abîme ma robe. Nelly m'avait poussée.

Nicole regarde fixement sa soeur qui s'affaire.

— Elle m'a poussée. Elle faisait toujours des

choses comme ça. Toujours.

Nicole a pris une décision. En se déplaçant doucement et sans faire le moindre bruit, elle redescend les marches qu'elle a gravies. Un doigt sur les lèvres et les yeux rivés sur Nelly qui est dos aux trois filles, agenouillée, elle prend une lame de scie accrochée au-dessus d'elles. Elle a tôt fait de couper le ruban isolant qui serre les poignets de Lara. La corde à linge est plus coriace. Nicole s'acharne dessus. C'est alors que Nelly lui envoie un coup dans les côtes. Nicole tombe à terre comme un animal blessé, le souffle coupé.

Nelly saute sur la lame de scie et l'envoie dans un coin.

— Tu n'es pas différente d'elles! Sors d'ici! J'aurais mieux fait de te laisser brûler! Il faut toujours que tu me mettes des bâtons dans les roues!

Nicole est vaincue, elle respire bruyamment et sanglote en se frottant le côté. Elle se relève en titubant et monte l'escalier en s'appuyant sur la rampe.

L'air dégoûtée, Nelly prend un bidon de kérosène.

— Pour compenser, mesdemoiselles, vous allez d'abord en boire.

Lara va bientôt pouvoir s'asseoir. Ses poignets sont toujours attachés mais, grâce à Nicole, les liens sont suffisamment lâches pour qu'elle puisse prendre le pistolet passé dans sa ceinture. Nelly dévisse le bidon.

— C'est fort, les filles.

Elle s'avance vers elles.

— Va-t'en au diable! lui crie Rachel.

— Approuvé, dit Diane, qui garde bonne contenance.

— Tu as l'intention d'aller quelque part, Lara? fait Nelly.

Lara lève le pistolet, le doigt sur la gâchette. Nelly s'arrête, en levant un sourcil dessiné au crayon. Elle a fini par se maquiller.

— Tu es pleine de ressources, hein, Lara? Pourquoi ne tires-tu pas?

— C'est un pistolet à fusées éclairantes, répond Lara lentement. Il produit beaucoup d'étincelles et tu es au beau milieu d'une mare de kérosène.

— Allume-la! dit Rachel.

— Vas-y! la presse Diane.

— Non! crie Nicole qui redescend les marches.

— Que personne ne bouge! ordonne Lara en se dressant sur ses genoux.

Nicole ne fait plus un mouvement. Nelly sourit.

— Allez, tire, dit-elle. Nous allons toutes griller.

— Toi la première, dit Lara. Le réservoir ne prendra pas feu tout de suite, nous aurons le temps de nous éloigner.

— C'est possible, mais tu as peur de tenter le coup. Pour moi, cela n'est pas nouveau. Je n'ai pas peur.

Elle avance d'un pas.

— Arrête! crie Nicole. Moi, j'ai peur!

Nelly hésite.

— Laisse-moi détacher les autres, Nelly, dit Lara. Oublions le passé.

Nelly éclate de rire.

— Oublier? Je n'oublierai jamais.

Elle sort son briquet.

— S'il te plaît, Nelly, implore Nicole en tombant à genoux. Tu veux me tuer aussi?

Le visage de Nelly exprime soudain la contrariété.

— Pourtant, c'est pour toi, tout cela.

— Mais, je ne veux pas, dit Nicole en pleurant.

— Je n'aurais plus de désir, alors, dit Nelly, dont la folie devient évidente.

Ses pupilles sont dilatées, sa voix rêveuse.

— Plus rien que ma laideur.

Elle va se regarder dans un miroir circulaire, sale, fixé au réservoir d'eau chaude. D'une main, elle coiffe ses cheveux en arrière. Puis elle enlève la poussière du miroir pour mieux se voir. Son visage se crispe.

— Vous voyez ma joue? C'est du plastique. Ce n'est pas moi.

— Nelly, écoute-moi, dit Lara. Nous pouvons t'aider.

Nelly décroche le miroir et scrute ses traits comme si, pour la première fois, elle y trouvait un intérêt.

— Comment vas-tu m'aider? Tu n'es pas médecin.

— Je suis ton amie.

— Je n'ai pas d'amies.

Nelly laisse tomber le miroir qui se brise à ses pieds. Elle continue à se regarder dans les morceaux mouillés de kérosène. Peut-être tente-t-elle de les rassembler de façon qu'ils lui renvoient l'image d'une belle jeune fille.

— Je n'aurai jamais d'ami.

— Mais si, assure Lara.

— Non.

Nelly secoue la tête et écarte du pied les éclats de verre. Elle allume le briquet et ajoute calmement :

— Toi non plus, d'ailleurs.

Puis elle se précipite sur elles.

Lara tire en visant ses pieds.

La fusée passe à travers les jambes de Nelly, ricoche sur le mur derrière, puis revient en se tortillant comme un serpent et éclate devant elle. Le kérosène prend feu immédiatement, les flammes happent Nelly, telle une gueule béante. Mais elle reste immobile et silencieuse. On la voit résignée à travers la lueur incandescente. Lara ne l'a jamais vue si paisible.

— Nelly! crie Nicole en se précipitant vers sa soeur.

Lara veut l'arrêter mais elle n'est pas assez rapide. Nicole plonge sans réfléchir ses mains dans le feu, la seule partie de son corps qui soit intacte. Nelly semble lui faire signe de reculer. Puis elle tombe, et c'est la fin.

— Nelly! gémit Nicole.

— Lara, va chercher la lame de scie, dit Rachel.

— Vite, ajoute Diane.

Lara se déplace vers la scie, en roulant sur elle-même, elle cogne son nez qui se met à saigner. La fumée lui pique les yeux. Elle parvient enfin à côté de Diane et coupe ses liens.

— Je savais que tu ne commencerais pas par moi, dit Rachel.

— Je ne partirai pas sans toi, assure Lara.

— Moi, j'en serais capable, dit Diane. Dépêche-toi.

Rachel tourne son regard vers la cuve de propane dont les flammes lèchent maintenant la surface.

— Tu me dois la vie, Nicole, dit-elle.

Nicole, machinalement, prend une scie au-dessus de leurs têtes. C'est plus efficace que la lame seule. Rachel est libérée en même temps que Diane.

— Fichons le camp d'ici! hurle Rachel en poussant Diane devant elle.

Lara leur emboîte le pas, mais elle se rend compte que Nicole ne les suit pas.

— Qu'est-ce que tu attends, Nicole! lui crie-t-elle en toussant.

— Je reste, dit Nicole, les yeux fixés sur le tas noir qui est tout ce qui reste de sa soeur.

Lara la prend par l'oreille et la tire vers l'escalier.

— Je ne suis pas d'humeur à discuter, Nicole.

Nicole ne réplique pas. Mais elle se laisse faire. Elles sortent du sous-sol. Les voici dans l'entrée. Elles sont près d'atteindre la porte. C'est alors qu'un choc ébranle la maison. Des bidons de kérosène ont explosé, sûrement. Ce ne peut pas être la cuve. Elles en perdent l'équilibre. Diane et Rachel aident Lara et Nicole à se relever. Lara souffre de brûlures à la jambe et les mains de Nicole sont horribles à voir.

Pour une fois, la neige qui tourbillonne est la bienvenue. Rachel se laisse tomber au pied d'un arbre. Sa blessure à la tête continue à saigner. Diane descend la piste en courant. Lara installe Nicole à côté de Rachel et s'effondre près d'elles. Elle presse une poignée de neige sur sa jambe.

Rachel se dresse soudain.

— Monique!

— Je savais que nous avions oublié quelque chose! lance Diane.

— Restez ici, leur intime Lara en passant les bras autour du tronc d'arbre pour se relever. J'y vais.

— Tu vas y laisser ta peau, dit Rachel qui veut la suivre mais est incapable de se tenir debout.

Lara se dirige en chancelant vers le cadre orangé de la porte de la maison. Nicole veut l'arrêter.

— C'est ma faute, Lara. C'est moi qui vais y aller.

— Allons-y ensemble, Nicole.

Elles coupent à travers la cuisine et montent à l'étage. Il n'y a plus d'électricité. Des volutes de fumée noire et des lueurs rouges les poursuivent. Lara ferme toutes les portes derrière elles. Ce sera un véritable enfer lorsqu'elles ressortiront — si la cuve de propane ne met pas un point final à tout cela.

Lara ouvre d'un coup de pied la portede la chambre de Monique.

— Lève-toi! La maison brûle!

Une respiration profonde, un soupir de contentement, des ronflements lui répondent. Lara ferme la porte. Dans la chambre, l'obscurité est totale. Nicole guide Lara vers le lit. Lara cherche de la main la tête de Monique, prend le verre d'eau sur la table de nuit et lui en jette le contenu au visage.

— Réveille-toi, Monique!

— Pas soif, marmonne Monique.

— Monique!

Lara lui touche les yeux. Ils sont clos. La maison tremble, les poutres craquent.

— Qu'est-ce que c'étaient, ces comprimés, Nicole?

— Je ne sais pas! crie Nicole par-dessus le fracas. Ce n'était pas de la codéine. C'était pour prendre après une opération, c'est très fort. Nous n'arriverons pas à la réveiller. Je le sais.

— Alors, portons-la.

Lara enlève les couvertures.

— Tu la prends par les pieds et moi par les bras.

— D'accord.

Elles la soulèvent.

— Ohhh! crie Nicole.

— Qu'y a-t-il?

— Mes mains! La peau s'enlève!

— Oh, Nicole... Laisse. Je m'en occuperai toute seule. Lara s'assied sur le lit et passe les bras inertes de Monique autour de son cou. Mais quand elle veut se relever, ses genoux lui manquent et elle heurte le plancher. La douleur est au-delà de ce qu'on peut imaginer. À quoi bon ses efforts? Sa jambe ne peut même pas supporter son propre poids.

— Où es-tu? fait Nicole.

— Ici.

Lara gifle Monique au visage.

— Réveille-toi, bon sang!

— C'est l'heure de dormir, bafouille Monique

en l'embrassant comme s'il s'agissait d'un oreiller.

— Sors d'ici, Nicole, ordonne Lara.

— Toi d'abord.

Alors, la porte s'ouvre d'un coup. Diane et Rachel se tiennent dans l'encadrement. Elles suffoquent.

— Qu'est-ce que vous faites ici? leur demande Lara.

— Une pour toutes et toutes pour une, dit Diane.

— Je me suis dit que, pour l'élection, ce serait un atout supplémentaire de jouer les héros, explique Rachel en haletant.

Elle prend Monique par un pied. Diane supporte le plus gros de la charge en lui soulevant les épaules. Nicole les guide. Les flammes leur barrent l'escalier. Même Lara est au bord de la panique. Elles sont enveloppées par des tourbillons de fumée.

— Une idée géniale, vite! dit Diane en toussant.

— Je ne peux pas respirer, fait Nicole.

Rachel la secoue.

— Nicole! Tu connais cette maison. Ne pourrions-nous pas sortir par une fenêtre? Nicole!

Nicole hoche affirmativement la tête.

— La chambre de Lara.

Heureusement, Lara avait laissé sa porte fermée. Une fois dans la pièce, elles peuvent reprendre leur respiration. Mais la fenêtre refuse de s'ouvrir.

— Ôtez-vous de là! leur ordonne Rachel en soulevant un fauteuil.

La vitre qui se brise et l'air glacé qui pénètre

sont leurs premières lueurs d'espoir. Diane traîne Monique vers la fenêtre, suivie de Rachel et de Nicole. La porte commence à brûler. Lara aperçoit sur son lit l'écharpe que portait le bonhomme de neige. Consciente de perdre de précieuses secondes, elle avance en boitant vers le lit et, tandis que le plancher s'enfonce de quelques centimètres, elle passe l'écharpe tricotée autour de son cou. Son bond à travers la fenêtre déchiquetée est si précipité qu'elle heurte les bardeaux gelés, se reçoit sur son postérieur et glisse à l'écart de la maison. Quelques instants plus tard, Nicole tombe du ciel à ses côtés. Rachel et Diane halent Monique pour la mettre en sûreté.

— La maison va exploser, dit Nicole, en se démenant.

— Oui, je le sens aussi, dit Lara en l'aidant à se relever.

Elles sont à cinquante mètres de la maison, dévalant en chancelant la pente raide, lorsqu'une déflagration assourdissante se produit. Une claque monumentale les catapulte jambes par-dessus tête vers des arbres soudainement illuminés. Lara a davantage l'impression de voler que de tomber, et de nouveau, elle se demande si elle n'est pas morte. Elle passe, telle une flèche, à travers un monticule de neige. Enfin, elle s'arrête et lorsqu'elle ouvre les yeux, elle voit un volcan fumant à la place de la maison. «Tu avais raison, Nelly, il n'y a pas de preuves.»

— Ohé! crie-t-elle.

— Par ici! répond Diane sur sa droite.

Lara progresse dans sa direction, en commençant à se dire qu'elle doit être invincible. Le paysage est baigné de tons changeants jaunes, orange et rouges ravissants et la température a monté. Monique se dresse soudain entre Diane et Rachel, un brouillard devant ses yeux à moitié ouverts.

— Qu'est-ce que tu fais dans ma chambre, Lara? marmonne-t-elle.

— Nicole est-elle sortie? demande Rachel.

— Elle me suivait, dit Lara en se retournant.

Cette nuit ne finira-t-elle donc jamais? Et si le souffle de l'explosion avait projeté Nicole contre un arbre?

— Je la vois, là-bas! s'exclame Rachel qui s'est mise debout.

Puis elle titube et se rassied, une main sur la tête.

— Vas-y, Lara. Je préfère.

Lara comprend. Près de là où gît Nicole, immobile, la neige est tachée de sang. Il lui semble que cela lui prend une éternité pour arriver jusqu'à son amie. En s'agenouillant près de la jeune fille, elle perçoit un faible gémissement.

— C'est moi, Nicole. Tout va s'arranger.

— Je vais mourir, murmure Nicole.

Lara lui presse le bras et dit :

— Je ne te laisserai pas mourir.

Nicole sourit.

— Tu me l'as déjà dit, une fois.

Lara hoche la tête.

— Et j'avais raison sans le savoir.

Elles sont blotties les unes contre les autres autour de Nicole, inconsciente. Un vieil homme au visage tanné et à la moustache blanche descend des ruines fumantes de la maison vers elles.

— Le Colonel, fait Lara rayonnante. Vous êtes venu à notre secours.

Il retire ses gants et tâte le pouls de Nicole, au cou.

— Elle est dans un état grave, marmonne-t-il en enlevant sa veste pour la couvrir. J'ai une radio dans le tracteur. Je vais appeler un hélicoptère. Je reviens tout de suite.

— Comment avez-vous fait pour arriver si vite? lui demande Rachel à son retour. Cela fait une vingtaine de minutes seulement que la maison a explosé.

Le Colonel masse les jambes de Nicole.

— Je regardais un match à la télé, dans le bar. Je me suis arrêté au bureau de l'administration des parcs en rentrant chez moi, pour bavarder un peu. Je suis à la retraite depuis cinq ans, mais je reste actif, histoire de passer le temps. Et le garde, c'était un nouveau, Cormier qu'il s'appelle. Je me suis présenté. Il m'a demandé si j'avais déplacé vos voitures et je lui ai dit que oui. Alors, un grand gars, costaud et timide, est arrivé et nous a dit qu'il y avait du grabuge chez vous, paraît-il. Il nous a raconté qu'il avait trouvé l'une de vous à moitié morte dans la neige, qu'il l'avait ramenée à la maison et qu'il avait eu une impression bizarre. Nous vous avons téléphoné. Pas de réponse. Naturellement, j'ai commencé à m'inquiéter et je me suis dit que je ferais mieux de prendre mon tracteur. Ce gars, Charles, voulait venir lui aussi mais il fallait de la place au cas où j'aurais dû en emmener une à la station. Un brave type, ce Charles. C'est quelqu'un de responsable.

— Ça oui, renchérit Lara, songeant que Charles lui a peut-être sauvé deux fois la vie.

— C'est mon ami, dit Monique en entendant le nom de Charles.

— Oh, là, là, grogne Diane.

— Laquelle d'entre vous était dehors dans la neige?

— Moi, dit Lara.

— Et pourquoi, au nom du Ciel?

— Juste pour prendre l'air, dit Lara. Je me suis perdue, je me suis trop éloignée de la maison. Je n'arrivais pas à retrouver mon chemin.

— Oui, ça arrive en pleine tempête, admet le Colonel. Mais on dirait que ça se calme, maintenant.

Le Colonel lève la tête. Un ronronnement mécanique déchire la nuit. C'est un hélicoptère qui approche.

— Dommage, une si belle maison. Savez-vous ce qui est arrivé?

Rachel va répondre mais Lara, d'un geste que le Colonel ne peut pas voir, l'arrête.

— La fumée nous a réveillées, dit Lara. Il y avait du feu partout. Nous ne savons pas d'où il pouvait bien venir.

— Vous avez eu de la chance de vous en sortir.

Soudain, il pâlit et laisse tomber sa mâchoire.

— Mon Dieu, n'étiez-vous pas six?

— Si, répond Lara, en baissant la tête. Nelly, notre amie, ajoute-t-elle en posant sa main sur Nicole. Nous avons fait tout ce que nous avons pu pour la sauver. Mais, en vain.

ÉPILOGUE

Lara, le nez contre la fenêtre de l'hôpital, contemple le ciel d'un bleu intense. Au loin, on voit les pics enneigés. La tempête a cessé.

— Coucou, dit Nicole d'une voix faible, depuis son lit.

Lara se retourne. Une vague de sympathie l'envahit. Les bras de Nicole, suspendus à des filins accrochés au plafond, sont recouverts de bandages. Lara avance vers le lit à l'aide de ses béquilles. Il a fallu lui opérer le genou. Elles a des engelures rougeâtres à tous les doigts. Sa jambe brûlée lui lance. Chaque inspiration lui rappelle ses côtes meurtries.

— J'espérais bien que tu te réveillerais avant que je m'en aille.

Lara s'assied au bord du lit.

— Quel jour sommes-nous?

— Lundi après-midi. Tu es à l'hôpital de la vallée. C'est un hélicoptère qui t'a déposée ici. Rachel, Monique et moi avons reçu l'autorisation de sortir aujourd'hui. Ma mère devrait arriver dans quelques minutes pour nous prendre. Comment te sens-tu?

— Vivante. Tout cela est vraiment arrivé?

— Oui.

— Nelly est...

— Oui, elle est morte.

Des larmes coulent des yeux de Nicole.

— Tu dois la haïr, Lara. Tu dois penser qu'elle était folle. Mais, pour moi, c'était une soeur formidable. Elle s'est occupée de moi quand j'étais malade. Quand j'avais mal, elle restait toute la nuit à mes côtés, à me faire la lecture. Elle n'était pas ce que tu crois.

— Je ne la hais pas. J'avais peur que toi, tu m'en veuilles d'avoir appuyé sur la gâchette.

Nicole secoue la tête en grimaçant.

— Elle va me manquer.

Lara essuie le visage de Nicole avec un mouchoir de papier.

— À moi aussi.

— Vraiment?

— Je pense à elle comme à une amie, dit Lara en toute honnêteté.

Ce sentiment, aussi contradictoire que cela puisse sembler, l'aide à mieux supporter la perte.

— Qu'as-tu dit aux gens? demande Nicole.

— La police ne sait rien. Officiellement, il s'agit d'un accident.

— Merci. Mes parents sont là?

— Oui. Ils étaient avec moi jusqu'à il y a quelques minutes. Ils sont allés manger un morceau à la cafétéria.

— Alors, ils savent que tu sais qui je suis.

— Oui. Mais, pour ce qui est de Nelly, ils n'en savent pas plus que la police.

— Le secret sera-t-il bien gardé?

— Nous l'avons solennellement juré, toutes les quatre. Je peux continuer à t'appeler Céleste quand tu viendras chez moi, si tu veux.

Lara dépose un baiser sur le front de Nicole.

— Il faut que je parte, maintenant, mais je viendrai te rendre visite après-demain.

— Est-ce que je peux te téléphoner ce soir?

— Quand tu voudras.

Lara caresse les cheveux bouclés de Nicole, soyeux comme ceux d'une enfant.

— Comment ai-je pu être aussi aveugle, Nicole? Il n'y a que toi qui puisses être si jolie. Je t'aime beaucoup, Nicole-Céleste. Je vous aime beaucoup, toutes les deux.

En sortant clopin-clopant de l'ascenseur, dans le hall de l'hôpital, Lara voit Rachel et sa mère en conversation avec un beau jeune homme. Rachel, un bandage autour de la tête, a une main sur son épaule et rit.

— Pierre! s'écrie Lara.

— Lara!

Elle lâche momentanément ses béquilles. Il la serre dans ses bras et écrase ses côtes endolories, mais cela en vaut la peine.

— Dans quel état tu es, fait-il en riant et en touchant doucement le pansement qu'elle a sur le visage.

— Merci beaucoup!

— Sérieusement, comment te sens-tu?

— Le meilleur neurologue du pays m'a remis la tête à l'endroit. Comment se fait-il que tu sois ici?

— J'étais tellement en colère contre Charles que je ne lui ai parlé qu'aujourd'hui. J'ai téléphoné ce matin chez toi, comme prévu. C'est ton père qui a répondu. C'est lui qui m'a mis au courant de *l'accident*.

Pierre appuie sur ce dernier mot, une question muette sur ses lèvres.

— Un accident terrible, dit Lara sans se démonter.

Il a probablement tout deviné.

— C'est toujours dur de perdre quelqu'un qu'on aime bien.

Elle ne trouve rien à dire.

— J'ai appris que ta mère venait te chercher aujourd'hui, alors je me suis invité et je suis venu avec elle.

— Tu as bien fait.

— Bonjour, maman!

La mère de Lara est une véritable boule de nerfs. Elle tremble en embrassant sa fille et pleure lorsque Nelly est mentionnée. C'est si injuste qu'une famille soit frappée deux fois de façon si tragique. Lara prie tout bas pour que monsieur et madame Kutroff ne fassent pas leur apparition. Monique et Diane se joignent au groupe et tout le monde se console mutuellement. Monique a le bras en écharpe. Les médecins lui ont assuré qu'elle n'aurait pratiquement pas de cicatrices. Diane n'a pas eu besoin d'être hospitalisée.

— Nous ferions mieux de prendre la route, dit-elle. Il faut que je rende la camionnette vers six heures.

— Tu n'es pas venue avec ma mère?

— Quand j'ai su qu'elle avait déjà de la compagnie, dit Diane en louchant du côté de Pierre, j'ai pensé qu'il était préférable que je me débrouille de mon côté pour ramener Rachel.

— Tu es pleine de délicatesse, Diane, fait Rachel d'une voix mielleuse.

— Est-ce que tu as de la place pour moi? s'enquiert Monique.

— Pas vraiment, dit vite Diane.

— Dans une camionnette? s'étonne Rachel.

— Nous pouvons prendre quelqu'un d'autre avec nous, offre la mère de Lara.

— Parfait, dit Diane. Monique, cela ne te dérange pas d'aller avec eux, n'est-ce pas?

— Nooon...

— Pourquoi Monique? demande Rachel en fronçant les sourcils.

— Pourquoi pas? fait Lara.

— Et Pierre? dit Rachel.

Tous les regards convergent vers lui.

— Hé, laissez-moi en dehors de tout ça, dit-il en riant.

— Est-ce que Charles est avec toi? demande Monique, soupçonneuse.

— La voilà qui recommence, marmonne Lara.

— Non, pas avec moi, dit Pierre innocemment.

Diane semble soudain fascinée par les lustres qui pendent au plafond.

— Est-ce que Charles est dans ta voiture? lui demande Monique.

— Je ne suis pas venue avec ma voiture.

— Est-ce qu'il est dans ta camionnette?

— Ne sois pas ridicule, Monique, dit Lara.

Monique en perd sa boulette de gomme et marche dessus sans le vouloir.

— Il est dans la camionnette!

Diane, maintenant, étudie attentivement son chemisier.

— Euh...

La scène du café se répète.

Finalement, exception faite de la mère de Lara, ils s'engouffrent tous dans la camionnette de Diane. Ils n'ont décidément pas le temps de s'ennuyer.

Dans la même collection

1. Quel rendez-vous!
2. L'admirateur secret
3. Qui est à l'appareil?
4. Cette nuit-là!
5. Poisson d'avril
6. Ange ou démon?
7. La gardienne
8. La robe de bal
9. L'examen fatidique
10. Le chouchou du professeur
11. Terreur à Saint-Louis
12. Fête sur la plage
13. Le passage secret
14. Le retour de Bob
15. Le bonhomme de neige
16. Les poupées mutilées
17. La gardienne II
18. L'accident
19. La rouquine
20. La fenêtre
21. L'invitation
22. Un week-end très spécial